Bienes Raices – EEUU

Guía de Inversión Inmobiliaria - Como buscar,

financiar, rehabilitar y revender casas para

tener grandes beneficios. Obtiene tu libertad

financiera ahora

(Real Estate Investing)

Por

Brandon Hammond

Tabla de Contenido

El siguiente libro electrónico se reproduce a continuación con el objetivo de proporcionar información lo más precisa y confiable posible. En cualquier caso, la compra de este libro electrónico puede considerarse como un consentimiento al hecho de que tanto el editor como el autor de este libro no son expertos en los temas tratados y que cualquier recomendación o sugerencia que se haga aquí es solo para fines de entretenimiento. Se debe consultar a los profesionales según sea necesario antes de emprender cualquiera de las acciones aprobadas en este documento.

Esta declaración se considera justa y válida tanto por la Asociación de Abogados de los Estados Unidos como por la Asociación del Comité de Editores y es legalmente vinculante en todo Estados Unidos.

Además, la transmisión, duplicación o reproducción de cualquiera de los siguientes trabajos, incluida información específica, se considerará un acto ilegal, independientemente de si se realiza de manera electrónica o impresa. Esto se extiende a la creación de una copia secundaria o terciaria del trabajo o una copia grabada y solo se permite con el consentimiento expreso por escrito del Editor. Todos los derechos adicionales reservados.

La información en las páginas siguientes se considera en general como una cuenta veraz y precisa de los hechos y, como tal, cualquier falta de atención, uso o mal uso de la información en cuestión por parte del lector rendirá cualquier acción resultante únicamente bajo su alcance. No hay escenarios en los que el editor o el autor original de este trabajo pueda ser considerado responsable de cualquier dificultad o daño que pueda ocurrir después de realizar la información descrita en este documento.

Además, la información en las páginas siguientes está destinada solo para fines informativos y, por lo tanto, debe considerarse universal. Como corresponde a su naturaleza, se presenta sin garantía de su validez prolongada o calidad provisional. Las marcas comerciales que se mencionan se realizan sin consentimiento por escrito y de ninguna manera pueden considerarse un respaldo del titular de la marca.

Introducción

Felicitaciones por descargar Inversion Inmobiliaria —
House Flipping para obtener ganancias y muchas gracias
por hacerlo.

Los siguientes capítulos analizarán todos los pasos que debe
conocer para ingresar al mundo de la inversión de
propiedades. El cambio de propiedad es simplemente la
idea de comprar una propiedad, por debajo del valor de
mercado, hacer algunas correcciones y reparaciones antes
de venderla para obtener una ganancia. Suena simple
¿verdad? Si bien los pasos pueden parecer bastante
sencillos aquí, hay muchas cosas relacionadas con la
inversión de propiedades y si no se toma el tiempo para
investigar el mercado, elija la propiedad adecuada, calcule
sus costos y venda la casa rápidamente, podría terminar
costando mucho dinero.

Esta guía discutirá todo lo que necesita saber para
comenzar a invertir en propiedades e invertir en bienes

raíces. Aprenderá cómo investigar el mercado, encontrar la financiación adecuada e incluso cómo comprar, arreglar y vender esa casa en muy poco tiempo. Este puede ser un proceso largo y ocupado, pero para aquellos que entienden cómo funciona esta inversión y que están dispuestos a dedicar tiempo y esfuerzo, también puede ser muy gratificante.

Cuando esté listo para comenzar a invertir su dinero en bienes raíces y ver algunos de los resultados asombrosos que puede obtener con el crecimiento de su dinero, ¡asegúrese de revisar esta guía antes de comenzar!

Hay muchos libros sobre este tema en el mercado, ¡gracias de nuevo por elegir este! Se hicieron todos los esfuerzos para garantizar que esté lleno de la mayor cantidad de información útil posible, ¡por favor, disfrutelo!

Capítulo 1: Los Fundamentos de la Reventa de Propiedades

A la mayoría de las personas se les presenta la idea de que la reventa de propiedades se ven solo en la televisión. Ven a personas que pueden tirar dinero en una casa que se está desmoronando, hacer algunas mejoras y luego ganar mucho dinero en unos pocos meses. Si bien estos programas de televisión tienden a darle un toque glamuroso a la idea de cambiar de casa, la reventa de propiedades sigue siendo una forma legítima de ganar dinero y una inversión en su futuro. Simplemente necesita saber cómo hacerlo y los pasos correctos que debe tomar, y podría hacer de esto un ingreso de tiempo completo.

El primer paso aquí es aprender exactamente de qué se trata la reventa de propiedades. La reventa de propiedades se define como la compra y venta de una casa , todo en el mismo año calendario. Así que técnicamente, si compra una casa para uso personal y luego tiene que mudarse de la ciudad diez meses más tarde, estaría revendiendo una propiedad. La mayoría de las veces, la reventa de la propiedad ocurrirá cuando un inversionista compre una propiedad y luego la revenda dentro del próximo año para obtener una ganancia. Esto puede incluir la reparación y renovación para ayudar al inversionista a obtener ganancias al revender esa propiedad.

Hay algunos métodos básicos involucrados cuando se trata de ganar dinero cuando se invierte en una casa. Éstos incluyen:

La reventa rápida: para este método, el inversionista va a ubicar una casa que está por debajo de su valor de mercado. El inversionista luego compraría la casa y haría algunas reparaciones rápidas. Quieren hacer lo menos posible para aumentar el valor en un corto período de tiempo. Pueden arreglar algunos artículos, aplicar un poco de pintura nueva o actualizar el atractivo de la casa. En unos pocos meses, a veces incluso mucho menos, el inversor revenderá la casa a su valor de mercado y se llevará las ganancias.

La renovación: con esta opción, el inversionista va a ubicar una casa que necesita bastantes reparaciones, rehabilitación o modernización. Se compra la casa y luego, durante unos meses, el inversor la renovará para maximizar el valor de mercado. El inversionista obtendrá una ganancia simplemente restando el precio original junto con los costos de venta y los costos de reparación del precio por el que venden la casa.

¿Cómo puedo hacer dinero revendiendo casas?

En cuanto a lo anterior, puede parecer bastante simple ganar algo de dinero con la reventa de propiedades. Hay mucho dinero que puede ganar cuando revende una casa, pero debe tener cuidado. Aquellos que saltan demasiado rápido sin hacer su investigación, o que gastan demasiado en una casa o sus reparaciones, terminarán perdiendo dinero en el proceso. Algunas de las cosas que necesita saber antes de poder ganar dinero revendiendo casas incluyen:

- Debe tener una idea del pulso del mercado: necesita saber qué tan alta es la demanda de compradores en esa área, así como la cantidad que los compradores están dispuestos a pagar.

  - Si el inversionista paga $ 100,000 por una casa y luego otros $ 30,000 renovando la cocina para prepararla para la venta, pero los compradores solo pagarán $ 115,000 en ese mercado, el inversionista perdería $ 15,000 en el proceso.

- El inversor debe poder obtener estimaciones precisas para las reparaciones. Es posible que pueda encontrar una casa que se ofrezca a un buen precio, pero si sus reparaciones terminan siendo mucho más de lo planeado, entonces puede perder dinero. Incluso aquellos que tienen más experiencia en la contratación admitirán que a veces es difícil saber cuántas modificaciones se necesitan hasta que usted pueda verla.

- Si destina $ 10,000 para renovar su cocina, entonces empieza a trabajar y descubre que el cableado está por debajo del estándar y que el subsuelo está podrido, es posible que deba pagar más. Podría terminar pagando $ 15,500 por eso. Si esto lo pone por encima del valor de mercado de la casa, perderá dinero.

- Antes de comenzar la rehabilitación, debe contar con una estimación precisa del valor. Después de la reparación de la casa: el éxito del cambio de propiedad dependerá de en cuánto puede vender la casa. Y la calidad y la cantidad de las renovaciones que desea hacer también dependerán de este número.

  - Cuando trabaja con un agente, usted va a comprar una casa por $ 125,000 con el supuesto de que se vendería por $ 165,000. Después de gastar alrededor de $ 25,000 en reparaciones y luego pagar los costos de cierre, estima que ganaría $ 15,000. Pero espere, el agente sobreestimó el valor de la propiedad y usted solo pudo ganar $ 148,000 cuando vendió la casa. Esto se traduce en una pérdida de todos los beneficios y $ 2000 extra de su bolsillo.

Esto no es para asustarlo y evitar que ingrese al mercado de comprar y revender casas. Simplemente está ahí para mostrarle que tener éxito en él, puede ser difícil para algunas personas, y requiere un poco de investigación y trabajo duro. Si realiza los cálculos de forma incorrecta, puede terminar obteniendo una gran pérdida financiera.

Por lo tanto, es posible ganar dinero cuando elige revender casas , solo necesita asegurarse de que sabe lo que está haciendo y no solo saltar y esperar que todo salga bien. Necesita estudiar el mercado, tener una buena idea de lo que está buscando un comprador potencial, tener las herramientas adecuadas para medir la rentabilidad de su proyecto y la resistencia para hacerlo todo y vender la propiedad. Es una gran inversión que puede hacerle tener mucho dinero, pero también viene con mucho trabajo en el proceso.

Aunque la reventa de propiedades no es tan activa ahora como lo fue en el pasado antes de la reciente recesión económica y las ejecuciones hipotecarias que la acompañaron, todavía hay un gran mercado para este nicho. Según RealtyTrac, las reventas de viviendas lograron aproximadamente el 4,5 por ciento de las ventas de viviendas durante el segundo trimestre de 2015. Aunque este es un número menor, el retorno de la inversión aumentó de 24 a 36 por ciento en comparación con el año pasado.

Es posible revender una casa , pero necesita investigar, tener un buen equipo y estar preparado para enfrentar cualquier desafío que surja con esa inversión. Si puede juntar todo esto y trabajar arduamente, verá que esa inversión funcionará bien para usted.

Capítulo 2: Creando Su Red

Si bien el reality show de televisión retrata a la reventa de propiedades como algo que hace todo el trabajo por su cuenta, pues eso simplemente no es la realidad. Para tener una reventa de una propiedad exitosa, debe contar con un equipo de profesionales. Podrán ayudarlo a encontrar un buen negocio, archivar la documentación, encontrar las propiedades, arreglar las propiedades e incluso venderlas cuando estén listas. Antes de comenzar a analizar el mercado y enviar las ofertas, primero asegúrese de tener una buena red de personas detrás de usted. Algunos de los profesionales que necesita para que su inversión de inversión de propiedades sea un éxito incluyen:

Un Agente de Bienes Raíces Acreditado

Una de las primeras personas que debe buscar en su equipo es un agente de bienes raíces acreditado. Algunos revendedores de propiedades pueden decidir que no van a comprar sus propiedades fuera del MLS o del Servicio de listado múltiple, por lo que asumen que no necesitan un agente de bienes raíces. Sin embargo, estos agentes tienen una gran cantidad de conocimientos sobre el mercado en el que se encuentran, conocen a mucha gente y serán un recurso muy valioso cuando ingrese a este mercado. Algunos de los diferentes servicios que su agente de bienes raíces puede proporcionarle, ya sea que planee usar el MLS o no, incluyen:

Enviar ofertas para comprar una propiedad

Los agentes inmobiliarios están capacitados para ser buenos negociadores. Sus acuerdos de compra están diseñados de manera que lo protejan legalmente como comprador. Además, pueden asumir otras tareas, como preparar, enviar y rastrear cómo se mueve su oferta. Esto realmente puede darle algo más de tiempo para usted, especialmente si tiene otro trabajo o está buscando múltiples propiedades a la vez.

La buena noticia es que el agente comprador es libre. El vendedor es el que pagará los servicios del agente de bienes raíces, por lo que esta es una gran herramienta para usar. Al agente de bienes raíces se le paga cuando compre una propiedad, pero no tiene que preocuparse por el dinero de su bolsillo cuando esto sucede.

Presentando los CMAs

Como nuevo inversor, ¿realmente tiene el tiempo, los recursos o la capacitación para realizar un seguimiento real de todas las propiedades que se han vendido recientemente en su mercado? Si está en una ciudad pequeña, podría intentar hacer esto. Pero si se encuentra en una gran ciudad, que es donde estarán muchas de sus propiedades potenciales, las propiedades recientemente vendidas en su área durante el año pasado podrían ser miles. Un buen agente de bienes raíces tendrá toda esta información almacenada en su base de datos y podría ayudarlo con un buen CMA, o un análisis de mercado comparativo, para facilitar las cosas.

La razón por la que deberia trabajar con un CMA es porque lo ayudará a encontrar el precio de venta más probable para cualquier propiedad. Obtendría este número comparando, y haciendo ajustes cuando sea necesario, de las ventas similares recientes en ese vecindario. Por lo tanto, si está viendo una propiedad que tiene tres dormitorios, dos baños, buscaría otra casa que se vendió el año pasado, que tenía tres dormitorios y dos baños y tenía aproximadamente la misma superficie. No se compararía con una casa que tiene cinco dormitorios, tres baños y diez acres porque los precios serían muy diferentes.

Cuando se tome el tiempo de combinar la experiencia de su agente con el conocimiento que proviene de estos datos, tendrá un gran recurso que lo ayudará a obtener el precio correcto para una propiedad al mismo tiempo que obtiene una ganancia.

Determinando su ARV

Primero, es posible que se pregunte de qué se trata el ARV. Esto significa "Después del valor de renovación". Es el precio de venta más probable para su propiedad después de que se toma un tiempo para repararla, remodelarla y renovarla. Este es un número muy importante en el que debe concentrarse porque todas sus ganancias, cálculos y estimaciones se basarán en él. Si realmente no está en el número, especialmente si apunta demasiado alto, podría terminar endeudado. Nunca querrá adivinar o equivocarse en esto. Si no es bueno para hacer esto, busque un profesional, como su agente de bienes raíces, que pueda preparar los números para usted.

Localiza a los compradores

Después de que se haya tomado el tiempo de hacer todas las renovaciones en la casa y lograr que se vea mejor, estará listo para vender. Y mientras más rápido pueda vender la propiedad, más ganancias obtendrá. Cada mes que retiene la propiedad genera más impuestos, más pagos de capital e intereses y más dinero de su propio bolsillo. Su agente de bienes raíces puede ayudarlo a encontrar los compradores correctos lo más rápido posible. Tenga en cuenta sus comisiones al hacer sus números para que no termine con una sorpresa al final. Pero, por lo general, vale la pena dejar al agente de bienes raíces actuar mayormente y vender la propiedad por usted mismo cuando este esté por terminar el negocio.

Contratistas licenciados

A menos que tenga su propia licencia de contratista y las habilidades y experiencia adecuadas para rehabilitar una casa (que la mayoría de los principiantes no tendrán), entonces debe agregar un buen contratista a su tiempo. No solo ayudarán con algunos o todos sus proyectos, sino que también pueden proporcionarle una inspección inicial de la propiedad y usted puede utilizar sus comentarios sobre esa propiedad para determinar cuánto costará repararla y si esa propiedad es una buena inversión.

Es posible que a medida que aumente su inversión, necesite varios contratistas diferentes para ayudar a preparar la casa. Al principio, sin embargo, sólo necesitará un contratista general. Podrá ayudarlo a comenzar y le pueden recomendar fácilmente otros, según sea necesario. Si no está seguro de cómo encontrar un contratista general, un buen lugar para comenzar es preguntarle a su agente de bienes raíces.

Cuando está trabajando en la reventa de propiedades y necesita renovar la casa, desea que el trabajo se realice correctamente desde la primera vez. Esto ahorra tiempo y mucho dinero. Encontrar al contratista adecuado que puede hacer esto a veces puede ser la parte más difícil de su trabajo.

La primera regla es mantenerse alejado de los contratistas que son más palabras que cualquier otra cosa. Estos son los contratistas que hacen el trabajo de lado para hacer un poco menos en lugar de los que lo hacen todo el tiempo como verdaderos profesionales. Es posible que estos empleados no estén asegurados o autorizados, esto incluso le ahorraría dinero, pero su trabajo puede verse mal y si algo sale mal con lo que hacen, no tendrá mucho recurso para discutirlo.

Es importante ir con un contratista que esté asegurado, protegido y con licencia y que tenga mucha experiencia en su campo. Esto puede costarle un poco más por adelantado, pero a la larga, puede ayudarlo. Esto asegura que el trabajo se realice correctamente la primera vez, por lo que no estará repagando para realizar el trabajo y perder un tiempo valioso. Estos profesionales también realizan trabajos de mayor calidad, lo que realmente puede impresionar a sus compradores cuando esté vendiendo.

Un inspector de casa

Cuando esté listo para vender su propiedad, el comprador casi siempre va a contratar un inspector de viviendas. Este inspector revisará la propiedad y luego preparará un informe para el comprador. Luego, el comprador puede solicitar que ciertas cosas se reparen o cambien en la propiedad antes de comprar. Algunas veces son cosas pequeñas, como arreglar una fuga en un drenaje que el inspector notó, y otras veces podría ser algo grande, como arreglar el horno.

Un inspector de casas también puede se usado de otras maneras.Primero, puede ofrecerle a ese inspector como alguien que el comprador puede usar si está buscando referencias. También puede utilizarlo para la inspección de las propiedades compradas. Aunque también tendrá un contratista en su equipo, el inspector de propiedades también será útil. Una inspección completa cuesta un poco de dinero de su bolsillo, pero realmente puede ahorrarle a futuro.

Es posible que encuentren un gran problema que deba solucionarse antes de que pueda volver a vender la casa , y el costo de eso puede ponerlo por encima del presupuesto. Sabiendo esto con anticipación puede sacarla de la lista antes de que se firmen los contratos o antes de que se quede estancado. Por otro lado, el inspector puede encontrar que la casa solo necesita un poco de trabajo estético antes de ir bien, y usted puede hacer el trabajo por su cuenta en lugar de contratar a un contratista para esa propiedad.

Es posible que también necesite utilizar un inspector para ayudarlo con su inspección previa a la venta. Si el comprador viene con un inspector y recibe una lista de 30 cosas que deben solucionarse, incluso si son pequeñas, pueden pensar que el uso del inspector no vale tanto como lo está vendiendo, y la venta puede fracasar. Hacer que el inspector venga y revise la propiedad puede asegurar que usted conozca estas cosas y que el comprador sienta que está aprovechando al máximo su dinero.

Un tasador de bienes raíces

Por lo general, el tasador solo entrará en escena cuando un comprador obtenga financiamiento bancario y el prestamista contratará a este profesional para asegurarse de que la casa realmente valga lo que el comprador pagará. Sin embargo, es posible que algunos proyectos en los que trabaja sean complejos y es posible que desee que ingrese otro profesional, en lugar de simplemente confiar en el CMA, para ayudarlo a tomar una buena decisión sobre la propiedad.

El tasador será su experto en valoración. Van a aplicar una gama más amplia de pruebas de valor que un agente de bienes raíces puede usar. También tienen un mayor grado de conocimiento técnico y están obligados por ley a tener un seguro de E&O. Este individuo puede ayudarlo a saber cuánto vale la casa, cómo una renovación específica cambiará el valor de la casa y más.

El prestamista

Si desea comenzar a revender propiedades a tiempo completo, entonces debe tener una buena relación con al menos dos prestamistas en su área. Técnicamente, puede elegir cualquier prestamista que desee, pero los bancos locales y las cooperativas de crédito a menudo son los mejores. Las cadenas nacionales de bancos más grandes no están contentas cuando se les piden préstamos a corto plazo, como el que necesitará para invertir en propiedades. Pero las cooperativas de crédito y los bancos comunitarios tendrán criterios de préstamo menos estrictos, y están dispuestos a ayudarlo con este préstamo.

Este es también el momento en el que debe explorar las diversas opciones de financiamiento disponibles. Las reventas de las propiedades generalmente promediarán unos seis meses antes de que puedan venderse. Necesitará financiamiento para ayudarlo no solo a comprar la casa, sino también para ayudar con todas las reparaciones y renovaciones en el camino. Tener una buena relación con el prestamista correcto puede hacer que el proceso sea más rápido en el futuro.

Compañías de título

La compañía de títulos puede ser útil cuando está manejando todos los aspectos de un cierre. Puede elegir trabajar con un abogado, pero la mayoría de los compradores y vendedores se sienten más cómodos trabajando con una compañía de títulos. Para empezar, son más baratos y sus abogados internos pueden juntar todos los papeles que necesita para esa propiedad.

Estas compañías de títulos también pueden ser útiles en otras situaciones. Si desea hacer una búsqueda de título en una propiedad, están allí para ayudarlo. Si alguna vez planea buscar una casa abandonada , una propiedad en ejecución hipotecaria, o propiedades con más de un propietario en común, querrá que la compañía de títulos lo ayude.

Tener este equipo de profesionales para ayudarlo durante el cambio de propiedad realmente puede hacer que la transacción se realice sin problemas. Estas personas y profesionales tienen mucha experiencia y las herramientas que usted necesita para ayudarlo a tener éxito. Trátelos con respeto y encuentre aquellos en los que pueda confiar, y estará listo para ganar dinero en bienes raíces en poco tiempo.

Capítulo 3: El Mercado Inmobiliario y Cómo Funciona la Economía Nacional.

No importa en qué mercado decida ingresar, existen muchos factores que determinarán el precio de las casas en su área, el precio de la realización del trabajo y la cantidad que puede ganar cuando ingresa en la reventa de propiedades. Incluso el estado de la economía nacional puede determinar qué tan bien puede ir la reventa de una propiedad, sin importar qué tan lejos esté.

¿Recuerda la crisis de las viviendas que se produjo desde 2007 hasta 2010? Si bien los efectos no ocurrieron en todas las partes del país a la vez, sí tuvo un efecto profundo en el mercado de bienes raíces y en la cantidad de personas que compraban casas. Según Alan Greenspan, el ex presidente de la Reserva Federal, los Estados Unidos no experimentaron necesariamente una burbuja inmobiliaria en todo el país, sino varias burbujas locales. Luego fue citado diciendo que en 2007 "todas las burbujas de espuma se suman a una burbuja agregada".

Cuando ocurrió la crisis de las viviendas, muchas personas estaban perdiendo sus casas. Habían gastado demasiado en la propiedad y perdieron sus empleos o estaban haciendo pagos hipotecarios que no podían pagar. El mercado de la vivienda realmente había inflado los precios de las casas, lo cual fue temporalmente una gran cosa para los inversionistas que pudieron comprar una casa y, con muy pocos cambios, venderla para obtener un gran beneficio un poco más tarde. Pero esta inflación, y las prácticas de préstamo sin complicaciones, significaron que muchas personas tenían casas que no podían pagar y las ejecuciones hipotecarias se hicieron muy frecuentes.

El mercado tardó un tiempo en recuperarse y, durante un tiempo, muchas casas no se vendieron. Y las que se estaban vendiendo se vendieron con pérdidas. Muchas casas que habían sido sobrevaloradas ahora se vendían por mucho menos, y debido al temor al mercado, no había muchos compradores disponibles.

Una reventa de propiedades puede verse afectada en ambos lados de este ejemplo. Cuando el mercado de la vivienda se estaba volviendo loco y algunos precios de las casas parecían duplicarse de la noche a la mañana, podían encontrar muchas propiedades y obtener ganancias de ellas en poco tiempo. Pero una vez que el mercado se desplomó, tuvieron dificultades para encontrar compradores para las propiedades que compraron.

Este es solo un ejemplo de lo importante que es no solo buscar en el mercado local bienes raíces, sino también analizar la economía nacional y otros factores para determinar qué propiedad es la correcta y si está obteniendo una buena oferta de esa propiedad. Algunos de los otros factores que debe considerar en una reventa de una propiedad cuando desean realizar una compra incluyen:

Las tasas de interés en hipotecas

Las tasas de interés de las hipotecas en todo el país tendrán una correlación directa con la compra y venta de bienes raíces. Las tasas de interés más bajas son agradables porque alentarán a más compradores de vivienda por primera vez a dejar de alquilar y comprar su propia casa. Incluso puede ser un factor motivador para que algunos compradores de casas actuales se actualicen y se muden a una casa que sea más lujosa y más grande.

Sin embargo, hay momentos en que las tasas hipotecarias van a subir. Cuando estas tasas aumenten, encontrará que la actividad en bienes raíces va a disminuir. Esto no significa que no habrá compradores interesados, pero habrá menos que antes. El aumento de las tasas de interés para una hipoteca puede afectar fácilmente el número de compradores dispuestos para una propiedad.

Saber dónde están las tasas hipotecarias nacionales cuando ingresa al mercado puede ser importante. Si son bajos, esto significa que la demanda de casas es mayor y puede obtener más ganancias. Cuando las tasas son más bajas, aún puede obtener una ganancia, pero es posible que deba ser más selectivo con las propiedades que elija revender.

Los requisitos de préstamos actuales

Desde que se produjo la crisis de la vivienda, el gobierno federal realmente ha tomado medidas enérgicas contra los préstamos de solo intereses y de riesgo para los prestatarios que no están al día. Esto reduce un poco la cantidad de compradores que hay en el mercado para su propiedad, pero ayuda a proteger a los bancos de un préstamo moroso.

Como un revendedor de propiedades, debe mantenerse por delante de cualquier requisito de préstamo actual. En algunos casos, puede ayudarlo a mantenerse mejor enfocado cuando esté haciendo sus renovaciones. También puede ayudarlo a adaptar su mercadotecnia a aquellos que tienen más probabilidades de calificar para una hipoteca para comprar su casa.

En algunos casos, como cuando las pautas de la hipoteca se ponen muy ajustadas, podría considerar hacer algo como la financiación del propietario. Esto puede maximizar su retorno. Si el comprador no puede comprar la propiedad, puede quedarse con parte del dinero que pagaron por adelantado. Pero si pueden pagarla al final del plazo, usted puede vender la casa porque había más compradores interesados en el mercado.

Cada banco tendrá sus propias reglas cuando se trate de préstamos. Esta es otra razón por la que puede ser una buena idea ir con una cooperativa de crédito local o un banco. Estas opciones a menudo quieren apoyar a la comunidad local y pueden otorgar más préstamos en comparación con algunos de los nombres más importantes de la industria. Verifique cuáles son algunas de las reglas locales para hipotecas en su área y determine cómo afectará eso a su negocio.

Las tasas de desempleo

Debe observar las tasas de desempleo tanto en su área como a nivel nacional. Estas tasas de empleo le ayudarán a medir la salud de la economía nacional. Cuando el desempleo es bajo, es bueno para usted. Esto significa que hay más empleos en su área y que las personas tienen dinero para gastar en casas. Pero si hay un fuerte aumento en el desempleo, podría significar que tiene menos compradores potenciales y tendrá que dedicar más tiempo a la comercialización de las propiedades que desea vender.

Conozca el área del mercado

Si bien es muy importante para usted observar los términos de la hipoteca, los indicadores económicos, las tasas de interés y las tendencias de empleo a nivel nacional, también debe prestar atención a lo que está sucediendo en su propio mercado o en el mercado en el que desea comprar y vender. Es fundamental prestar siempre atención al mercado local de la vivienda , porque a veces es diferente de lo que se ve a nivel nacional. Por ejemplo, la nación puede tener grandes tasas de desempleo, pero una gran fábrica en su mercado local simplemente se cerró y la gente no tiene trabajo para comprar una casa. Sin tener una buena idea de lo que está sucediendo en el mercado de bienes raíces cerca de usted, puede arriesgar decenas de miles, o incluso más, en el proceso.

El crecimiento económico local y la estabilidad

Una de las cosas que debe tener en cuenta para comprender su área de mercado es tener una buena comprensión de la economía local. Y la mejor manera de hacerlo es estar muy familiarizado con la oficina de Planificación y Zonificación. Preste especial atención a cualquier anuncio de nuevos desarrollos o alguna construcción propuesta en su área. Esto le da una buena indicación de hacia dónde se dirige el mercado inmobiliario en su área.

Por ejemplo, si se toma el tiempo para asistir a cualquiera de las reuniones públicas de planificación y zonificación en su área, puede descubrir que aprobaron un gran centro comercial que se construirá cerca del borde de la ciudad. Esto le permite saber que, en algún momento, los compradores comenzarán a buscar lugares para vivir cerca de esa misma área. Podría dar un salto en el juego y ver si hay propiedades razonables, tal vez algunas que necesiten un poco de trabajo, es decir, dentro de los cinco minutos de la subida del nuevo centro comercial.

Puede funcionar de otra manera para usted también. Si está buscando en su periódico local y ve que uno de los principales empleadores del área se encuentra con algunos problemas financieros, y ya han comenzado a despedir a algunos de sus empleados. Esto no hará que los residentes del área se sientan seguros en sus trabajos y ninguno de ellos realmente estará pensando en comprar una casa pronto. Es posible que desee tomar un descanso aquí y mirar otros mercados cercanos en lugar de vender allí.

Esto también puede funcionar de otra manera para usted como inversionista. Si descubre que una nueva fábrica está llegando al área u otro negocio que puede ofrecer algunos buenos empleos, entonces puede ser el momento de comprar algunas propiedades, especialmente si esa área tiene viviendas baratas. Tan pronto como las noticias sobre ese nuevo negocio aparezcan y comiencen a contratarse, la gente se mudará al área, la gente tendrá más dinero y los precios de los bienes raíces subirán, lo que le dará una buena ganancia. ¡Dependiendo de la propiedad que eligió, es posible que ni siquiera tenga que hacer un montón de trabajo en la propiedad!

La actividad local en materia de bienes raíces

Este es un ejemplo de dónde debería usar un agente de bienes raíces para ayudarlo. Son capaces de recopilar toda la información para usted y luego ayudarlo a medirla y averiguar cómo entender lo que está pasando con el mercado de bienes raíces en su área.

Antes de dirigirse y hablar con su agente de bienes raíces con algunas preguntas genéricas, ¿por qué no elaborar una lista de preguntas que le gustaría saber con anticipación? Esto le da al agente tiempo para buscar la información que necesita y la configura para responder un poco mejor a sus preguntas. Algunas de las preguntas que puede considerar preguntar si no está seguro de dónde comenzar incluyen:

- ¿Qué porcentaje de las casas que se enumeran son REO? ¿Qué descuento suelen recibir estas propiedades? Algunas revendedores de propiedades deciden comprar reposesiones bancarias o REOs. Esto les ayuda a obtener una propiedad por debajo del valor de mercado en algunos casos. Comprar una propiedad de un banco es un proceso largo y aburrido y, a menudo, terminan vendiendo la propiedad "tal como está". Incluso cuando se encuentra un problema, no quieren bajar el precio. Y en algunos casos, puede estar en un límite de cuánto puede revender la propiedad. Si ve que los REO enumerados tienen un descuento de menos del diez por ciento, continúe con otra opción.

- ¿En cuánto se están vendiendo las casas en promedio en el área? Si observa que más del sesenta por ciento de las casas vendidas en el último año osciló entre $ 145,000 y $ 175,000, entonces probablemente no sea razonable ni probable encontrar una casa por $ 50,000 que pueda vender por $ 200,000.

- ¿Cuáles son los días promedio en el mercado para tener las principales categorías de precios? Esto le ayuda a tener una idea de cuánto tiempo podría retener la propiedad, y tener esto en cuenta con sus propios costos.

- ¿Qué tipos de propiedades parecen venderse más rápido en este mercado? Si usted y su agente son capaces de limitar qué propiedades pueden venderse más rápido, entonces es mucho más fácil para usted averiguar qué quieren los compradores de una casa .¿Ve algunas casas que los compradores compran rápidamente que son similares en tamaños, diseños y características? ¿Se encuentran todos en la misma zona?

- Qué barrios parecen tener la mayor actividad: si bien puede que le guste un área de la ciudad, el comprador típico puede o no estar de acuerdo con usted. Si encuentra que al comprador típico le gusta otra área de la ciudad, ahí es donde necesita buscar casas.

Entender su mercado local puede hacer una gran diferencia respecto a cuánto gastar en una propiedad, cuánto tiempo retener esa propiedad e incluso qué tipo de renovaciones decide realizar. Conocer el mercado, tanto de forma natural como local, puede ayudarlo a comenzar a reducir su riesgo de perder dinero en una inversión en gran medida.

Capítulo 4: Comprender al Comprador en su Mercado Local

Otra cosa que debe considerar cuando quiere vender una casa es el comprador de esa propiedad. No importa qué casa compre o en cuánto tiempo la renovará, si no puede vender esa propiedad, se arruinará. Por lo tanto, antes de que incluso decida tomarse el tiempo para buscar las propiedades correctas para invertir, debe tener una buena comprensión de su comprador y lo que están buscando cuando compran una casa.

Aquí hay otra conversación que puede tener con su agente de bienes raíces. Conocen a mucha gente en el mercado y pueden proporcionarle información que no puede encontrar en ningún otro lugar. Ofrezca comprarles el almuerzo y dedicar un tiempo a este tema. ¿Quieres saber exactamente de donde viene el comprador local, ya que esto afectará el tipo de propiedad que compra y lo renovaciones que puede hacer en ella?. Algunas de las preguntas que puede discutir con su agente durante este tiempo incluyen:

43

¿Los compradores en este mercado son familias jóvenes, jubilados, profesionales que trabajan u otro grupo?

¿Qué vecindarios parecen atraer más a cada grupo de compra diferente?

¿Estás viendo más compradores obteniendo hipotecas o pagando en efectivo? ¿Están obteniendo las hipotecas tradicionales a través de un banco o están interesados en diferentes opciones como la financiamiento personalizado?

¿En qué tipo de casa está más interesada cada categoría de compra?

¿Qué quiere el comprador?

Una vez que se tome un tiempo para aprender más sobre quién está comprando casas en su área, es hora de reducir lo que estos compradores en particular están buscando cuando compran una nueva casa. Si puede comprar una casa y luego cambiarla para satisfacer las necesidades principales de un comprador, junto con algunos de sus deseos, puede obtener un precio competitivo de inmediato. Dependiendo del mercado, haciendo esto podría ofrecerle varias ofertas, lo que puede aumentar su precio final.

Cada comprador es un poco diferente en lo que quieren obtener de la casa, pero algunas de las cosas más populares que quieren ver incluyen:

- Baños y cocinas actualizados: los compradores jóvenes van a querer una nueva cocina. No tienen el dinero para poner una nueva cocina porque ponen la mayor parte de sus ahorros en muebles para la casa y el pago inicial. Esto no les deja nada para gastar en la remodelación por su cuenta.Los nuevos accesorios de baño son igual de importantes y pueden aumentar dramáticamente el atractivo de la casa. Sin embargo, pueden ser costosos, así que asegúrese de ver lo que está pasando y mantenga un buen presupuesto con estas reparaciones.

- Una cocina abierta: los comedores formales y las cocinas abiertas son cosa del pasado. La cocina es ahora una sala de reunión para las familias y para diversión.Si ya está rehaciendo la cocina, debería considerar convertirla en un comedor, si es posible, porque en este momento hay una gran demanda, especialmente con las familias que tienen hijos.

- Iluminación exterior: debe tener mucha iluminación exterior para impresionar a los compradores. Estos pueden incluir luces de acento del paisaje, focos de tierra y lámparas de pared. Estos pueden causar una gran primera impresión y hacer maravillas cuando se trata de frenar el atractivo.

- Lavadero separado: muchos compradores quieren ver un lavadero separado con un área para planchar y doblar la ropa. Un estudio reciente dice que esto es importante para hasta el 93 por ciento de los compradores actuales.

- Plan de piso abierto: hay muchos compradores que parecen disfrutar del plan de piso abierto. Si hay formas sencillas de abrir un poco el plano del piso, entonces esto es lo que debe hacer.

- Oficina de la casa: muchos compradores jóvenes trabajan actualmente desde casa, al menos unos días a la semana. Tener una oficina en casa es importante para ellos.

- Despensas sin cita previa: en un estudio reciente, alrededor del 85 por ciento de los compradores preferirían que su nueva casa tuviera una despensa con espacio suficiente para no solo almacenar alimentos, sino también escobas y trapeadores.

- Viviendas llave en mano de bajo mantenimiento: muchos compradores quieren asegurarse de que ingresarán a una vivienda que no necesite mucho trabajo en ella. Esto es especialmente importante cuando se trata de pisos y jardines. Vaya con una opción como pisos de madera y algunas encimeras de granito para atraer a su comprador.

- Eficiencia energética: muchos compradores jóvenes están felices de ser ecológicos y tienen conciencia energética. Es posible que los compradores no paguen más por esto, pero si ya tiene que comprar electrodomésticos nuevos para la casa, asegúrese de obtener los que tengan la calificación Energy Star.

Recuerda que cada comprador va a ser un poco diferente. Querrán cosas específicas que quieren en su nueva casa. Puede hablar con un agente de bienes raíces para ver qué tipos de características son realmente populares en su mercado para que las incluya en su propiedad. Agregar ese pequeño extra le ayudará a impresionar realmente a los compradores y sacará la propiedad del mercado rápidamente.

¿Qué cosas no les gustan a los compradores?

Si bien hay algunas preferencias que a muchos compradores les gustaría tener en sus nuevas casas, también hay algunas características que los apagarán y pueden dificultar la venta. Si compra una propiedad que ya tiene algunos de estos factores, debe intentar cambiarlos, incluso si están en buenas condiciones.

- Techos terminados que parecen palomitas de maíz: este fue un estilo popular en los años 80, pero a la mayoría de los compradores no les gusta el aspecto ahora. Raspelo y venda la casa con un techo liso.

- Accesorios de latón: estas son cosas que se encuentran en casas muy antiguas, y muchos compradores prefieren los toques modernos.

- Iluminación del baño con un estilo vanidoso: Su potencial comprador no quiere verse cegado por estas luces o sentirse como si estuvieran en un vestidor. Reemplace estas luces con algo mejor.

- Falta de almacenamiento: el almacenamiento es tan importante cuando se trata de una propiedad. Cuanto más almacenamiento tenga su propiedad, mejor será. Agregue algunos gabinetes y estantes para ayudar a solucionar este problema si este está presente en su propiedad.

- Casas estrechas: a los compradores no les gusta estar en casas que tienen cuartos pequeños. Les gusta los pisos abiertos. Pero antes de atravesar y romper algunas paredes, asegúrese de que haya un contratista allí para controlar de que se eliminen las paredes correctas.

Es tan importante para usted como un revendedor de propiedades evitar las cosas que a los compradores no les gustan. Si estas cosas aparecen en su casa, es posible que algunos compradores no estén interesados en comprar la casa y que su propiedad permanezca en el mercado demasiado tiempo. Cuando piense en las renovaciones que desea hacer en la casa, verifique estos temas para solucionarlos antes de intentar vender la propiedad.

La ubicación es importante para sus compradores

La casa puede seguir todas las otras sugerencias en este capítulo, pero si se encuentra en la ubicación incorrecta, será difícil encontrar al comprador adecuado. La ubicación de su propiedad será un factor importante para determinar si un comprador comprará la casa o no. Puede hablar con su agente para averiguar si los compradores parecen preferir los suburbios o el centro de la ciudad.

El tipo de comprador al que está apuntando marcará la diferencia en la ubicación que desea comprar. Si está tratando de apuntar a las familias, debe elegir propiedades en lugares más seguros, como los que están cerca de parques y escuelas. Muchos compradores también están interesados en una casa que esté cerca de cualquier área de transporte público y que tengan un buenas áreas para caminar. También puede buscar casas cercanas a restaurantes, lugares recreativos, lugares de entretenimiento y tiendas.

Otra área en la que puede enfocarse es en cualquier vecindario que puede considerar que está experimentando un rejuvenecimiento. Esto podría ser a través de una inversión en esa ciudad o porque otros compraron casas allí y las están arreglando. Esta área puede ofrecerle casas con precios más bajos, pero como la zona se está arreglando, la demanda de las casas pronto aumentará y usted podrá obtener una buena ganancia.

La preparación para su comprador es un paso importante en el proceso de reventa de propiedades. Hay muchos tipos diferentes de propiedades que puedes elegir para comprar, pero no todas te darán ganancias o atraerán el tipo de comprador que deseas. Comprender a ese comprador y seguir algunos de los consejos de este capítulo, garantizará que encuentre a alguien que esté dispuesto a comprar su propiedad y así obtener un ingreso.

Capítulo 5: Obtención del Financiamiento que Necesita su Inversión para Despegar

Una vez que haya investigado un poco sobre el mercado en su área, es hora de concentrarse en comprar la primera propiedad para revenderla. Algunos inversionistas elegirán pagar todo el efectivo por la propiedad. Pero la mayoría de los nuevos inversionistas en la reventa de propiedades no tendrán el dinero suficiente para hacer esto y tendrán que depender del financiamiento para ayudarse.

Obtener financiamiento convencional como inversionista en propiedades puede ser difícil por sí solo, pero obtener este tipo de préstamo por un período de corto plazo es casi imposible. Como revendedor de propiedades, no necesitará ni deseará el préstamo hipotecario tradicional a 30 años porque no planea mantener la propiedad por tanto tiempo. Por lo general, solo necesita un financiamiento por aproximadamente 12 meses o menos, y el target aquí es por menos de seis minutos.

Los prestamistas nacionales obtendrán la mayor cantidad de dinero con la idea de poder vender préstamos al mercado hipotecario secundario, y algunas empresas, como Freddie Mac y Fannie Mae, solo están interesadas en otorgar préstamos a largo plazo. Por lo tanto, para obtener el financiamiento convencional para esta inversión, deberá trabajar con un prestamista que esté dispuesto a mantener los préstamos internamente.

Obtener financiamiento puede ser difícil para este tipo de actividad, pero hay que encontrarlo en algún lugar ya que tener la casa es un gasto bastante grande. Veamos algunas de las diferentes opciones que puede elegir cuando se trata de financiar la reventa de su propiedad.

Financiamiento Convencional

El método que se considera el más seguro cuando se trata de pagar por una reventa de propiedad, además de tener el efectivo para pagar la propiedad, es obtener financiamiento convencional. Los préstamos internos, que son más fáciles de obtener para esta opción, serán respaldados por la equidad de la casa junto con su propia solvencia crediticia personal, en lugar de solo la equidad de la casa. Un buen lugar para comenzar cuando esté haciendo esto es visitar bancos locales y cooperativas de crédito. Es más probable que estas opciones propongan préstamos de cartera a corto plazo para financiar sus compras.

Para ayudarlo a calificar para estos préstamos, debe cumplir con algunos requisitos de crédito bastante estrictos, y probablemente tendrá que realizar un gran pago inicial. Debe tener un puntaje de al menos 620, pero dado que este tipo de inversión es un poco más riesgoso que otros tipos de hipotecas, es probable que necesite un puntaje de crédito que sea al menos en los 700.

Cuando está buscando un prestamista, es una buena idea darse primero una vuelta. Sea sincero con el prestamista sobre lo que le gustaría hacer con el dinero y cómo planea hacer recuperarlo y devolverlo. Debe estar preparado tanto como sea posible, mostrando su experiencia; lo que haría con el dinero y más facilita que un prestamista trabaje con usted en esta inversión.

Si decide que desea recurrir a un préstamo convencional, asegúrese de que las tarifas sean razonables y que no le cueste mucho de su beneficio. También debe verificar que no haya una multa por pago anticipado. Muchos préstamos convencionales pueden conllevar una restricción sobre cuándo puede revender la propiedad. Pero si habla sobre esto con su prestamista, es posible que pueda obtener un préstamo que levante esta multa para que no tenga que pagarla más tarde.

Préstamos de dinero duro

Otra opción que puede usar es un préstamo de dinero duro. Estos son préstamos no bancarios a corto plazo que se otorgan a un inversionista privado o a una compañía. El préstamo tiene una garantía que depende más del valor de la propiedad elegida que del crédito del prestatario. Los inversionistas inteligentes usarán este tipo de préstamos todo el tiempo y son excelentes opciones para usar cuando está realizando una reventa de una propiedad.

Cuando sabe exactamente en qué se está metiendo con su inversor y puede agregar a la fórmula los costos de préstamo más altos que el promedio, estos préstamos de dinero duro pueden ser excelentes para usted. Sin embargo, sí es necesario considerar los riesgos de ir con uno de estos porque, si bien son excelentes opciones, hay ocasiones en las que podrían costarle mucho dinero.

Trabajar con un préstamo de dinero duro puede ser realmente costoso y usted necesita tener en cuenta estos gastos en sus cálculos de rentabilidad. Estos prestamistas van a cobrar una tasa de interés muy alta , por lo general al menos el catorce por ciento, y pueden llevar múltiples puntos y tener altos costos de cierre. Los puntos se pagarán por adelantado y cada punto será aproximadamente el uno por ciento del monto del préstamo. Esto puede costarle un poco más por adelantado, pero le ayuda cuando necesita un préstamo rápido a corto plazo para financiar la actividad.

Los préstamos que obtenga de esto se realizarán en función del valor de reparación posterior de la vivienda y tendrán una relación de préstamo a valor entre 55 y 75 por ciento según el puntaje crediticio del prestatario. Esto puede cubrir cualquier capital de compra y se puede incluir algunos fondos para reparaciones.

Trabajar con un HELOC

¿Tiene una residencia personal o alguna otra propiedad de inversión de su propiedad que tenga alguna equidad? Si la tiene, entonces es posible que desee tomar esta equidad y utilizar una línea de de crédito sobre el valor líquido de la casa, o un HELOC, para ayudar a financiar su actividad. Esta es una mejor opción en vez que un préstamo con garantía hipotecaria porque esta cantidad se parece más a un límite de tarjeta de crédito que a un préstamo bancario. Puede pedir prestado hasta el monto máximo del préstamo, devolverlo y luego pedirlo nuevamente sin tener que preocuparse por pasar por el proceso de préstamo cada vez. Estos préstamos solo le permitirán obtener un préstamo total máximo a un valor del 80 por ciento, que incluirá su primera hipoteca y la HELOC.

Entonces, si su casa vale $ 250,000 y usted tiene una hipoteca por $ 145,000, la cantidad máxima que podrá retirar utilizando un HELOC es por $ 55,000. Es posible que esto no cubra el monto total de la compra a menos que tenga una gran cantidad de capital, pero le ayuda a obtener dinero para algunas reparaciones si es necesario.

La tasa de interés será más alta que la que obtendrá con una hipoteca convencional, pero los costos de cierre serán más bajos. Sin embargo, si solicita un préstamo contra el patrimonio que se encuentra en su residencia personal y la reventa de la propiedad no va bien, debe asegurarse de que haya suficiente dinero en su presupuesto mensual regular para cubrir el monto adicional que ahora debe.

Financiamiento del propietario

Comprar una propiedad con un contrato de tierras, que a menudo se conoce como financiamiento del propietario, puede ser una buena forma de financiar su compra a corto plazo .Hay algunos propietarios que no les importa hacer esto porque les ayuda a ganar un poco más en la venta de su casa. Esto te lleva a obtener lo que quieres, y al vendedor obtener lo que él quiere.

Para esta opción, en lugar de trabajar para obtener una hipoteca convencional, en vez de eso, deberá realizar pagos mensuales a la persona que posee la propiedad. Tendría que hacer un pago inicial, que a menudo es menos del diez por ciento. El propietario también podrá cobrar intereses, estableciéndolo alrededor de uno o dos puntos porcentuales por encima de las tasas hipotecarias convencionales, pero a veces pueden considerar establecerlo más alto. Cuando esté listo para revender la propiedad, pagará el resto del saldo del préstamo y podrá conservar la ganancia.

Si necesita financiamiento pero no tiene un buen pago inicial, esta puede ser una opción para usted. El propietario simplemente cargaría la hipoteca de la propiedad en la segunda posición, con el financiamiento convencional que tienen como primera. Aún tendría que averiguar cómo pagaría las reparaciones, y tendría que encontrar un vendedor que esté dispuesto a hacer esto.

Otra opción con el uso del financiamiento del propietario es comprar la propiedad "Sujeto A" de la hipoteca existente. El comprador le pagará al vendedor la diferencia entre el precio de compra y el saldo que el vendedor tiene en la hipoteca en ese momento. Luego asumirán los pagos que quedan en la hipoteca del vendedor. Por lo general, hay cláusulas en el contrato que están en contra de las compañías hipotecarias, pero el prestamista puede estar dispuesto a pasarlo por alto siempre que el pago se realice a tiempo.

Al propietario de la casa no le puede gustar esta opción porque es un riesgo. Desde su perspectiva, usted podría fácilmente acordar hacer esto y luego no hacer los pagos a tiempo. Esto terminaría dañando el puntaje de crédito del propietario de la casa. En la mayoría de los casos, los vendedores que se apresuran a aceptar esta oferta son los que ya están atrasados en sus pagos de la hipoteca y están preocupados por la ejecución hipotecaria.

Prepararse para el financiamiento

Parte de su éxito para obtener un préstamo dependerá de su solvencia crediticia. La otra parte se basa en lo bien que sabe lo que está haciendo. Si solo va y dice que quiere el dinero para comprar una propiedad y ganar mucho dinero, el banco lo rechazará. Si ingresa con un claro entendimiento de cuánto necesita exactamente, en qué lo va a gastar y todos los costos y riesgos del esfuerzo, es más probable que obtenga el dinero.

Una vez que se haya tomado el tiempo para decidir el tipo de financiamiento que desea, y ya sea precalificado o preaprobado, deberá proporcionarle a su prestamista más pruebas. Esto incluirá una gran cantidad de documentos, incluido el acuerdo de compra de la casa, el contrato que tiene con su contratista, al menos dos estimaciones de los costos de renovación, un plan de mercadeo, los costos de tenencia anticipados y el tiempo proyectado para hacerlo todo.

Cuanta más información pueda proporcionar al banco, mejor estará. Esto les muestra que no solo está apresurándose con la esperanza de hacerlo grande. El banco, o cualquier otro prestamista, querrá asegurarse de que está preparado y de que realmente recuperará su dinero si se lo presta, especialmente con un préstamo de tan corto plazo.

No solo tendrá que proporcionarle toda esta información al banco, sino que el prestamista tendrá muchas preguntas difíciles que responder. Algunas de estas preguntas incluyen:

- ¿Cuánta experiencia pasada tiene trabajando en proyectos similares?

- ¿Qué cantidad de sus fondos personales planea usar en la reventa de la propiedad?

- ¿Qué sucede si descubre que los costos de construcción y renovación son más de lo que estimó originalmente?

- ¿Cuál es su plan de salida o el plan de retirada si la propiedad no se vende a tiempo?

- ¿Podría calificar para una hipoteca convencional si la propiedad no se vende y tiene que permanecer por más tiempo en el mercado?

Estas son solo algunas de las preguntas que escuchará del banco. Recuerde que hay muchas personas que quieren ganar dinero en bienes raíces revendiendo casas, pero la mayoría no se toma el tiempo para investigar y aprender antes de saltar. Se les pasa por alto y luego incumplen con el préstamo porque hicieron una mala inversión. Depende de usted demostrarle al banco que se toma en serio esta inversión, que tiene un plan y que podrá reembolsar el préstamo.

Capítulo 6: Elección de la Propiedad que Desea Revender y Obtener un Beneficio de Ella

Ahora es el momento de entrar en la compra real de la propiedad en la que le interesa invertir. Este es un momento emocionante, pero asegúrese de dejar sus emociones en la puerta. Esto le ayudará a tomar decisiones inteligentes sobre la propiedad y puede hacer que sea más fácil ganar dinero en el proceso.

Invertir en bienes raíces, ya sea que desee cambiar la propiedad o tenerla, puede ser muy similar. Nunca debe simplemente ir a por la primera propiedad que ve en el mercado que tiene un buen precio. Debe tomarse su tiempo y analizar tantas propiedades como pueda encontrar. Incluso si solo termina haciendo una oferta en una propiedad de 20 o 30 o 40 propiedades, esta es una idea mucho mejor que ir sobre la primera que ve y luego terminar con una decepción.

La compra de una casa que usted quiere revender rápidamente será una experiencia diferente a la de comprar una casa para su familia. Cuando compra una casa personal, la ve como un lugar para el futuro, un lugar donde construir una familia y seguir sus sueños. Pero cuando compra una propiedad para revenderla, todo se trata de los resultados finales y de cuánto dinero puede ganar. Al hacer esto, debe dejar sus emociones en la puerta y nunca apegarse a la propiedad.

Tan pronto como se apega, las cosas pueden ir cuesta abajo. Pasará por alto algunas fallas importantes de la propiedad, que deberían enviarle una bandera roja para poder evitarlas. Pondrá demasiado dinero en ella, no arreglará las cosas correctas y terminará gastando mucho más de lo que podría soñar obtener con la propiedad. Involucrarse emocionalmente con esta inversión es una forma rápida de separarse de su dinero y de las futuras ganancias que espera obtener.

Para comenzar, vamos a echar un vistazo a las tres reglas esenciales que debe seguir al buscar una propiedad para revender. Estas reglas no existen para arruinar toda su diversión, sino para ayudarlo a establecer los límites correctos para su proyecto y para ayudarlo a obtener el beneficio que espera. Antes de siquiera intentar echar un vistazo a la propiedad y engancharse a ella, debe ver si cumple con las siguientes pautas.

Requisitos del comprador

En los capítulos anteriores, pasó algún tiempo investigando y analizando el mercado para aprender más sobre los compradores en su área y lo que ellos quieren y necesitan de una casa. Debe tener una lista de verificación de los artículos imprescindibles y lo que desea en la casa que va a comprar. Al mirar algunas de las fotos de la casa, o incluso cuando está en la casa revisandola, debería hacer esta lista a medida que avanza. Algunas de las cosas que puede tener en esta lista (que siempre deben venir con usted) incluyen:

- La locación

- La lista de precios

- Cuantos pies cuadrados

- Los dormitorios

- Los baños

- Cuantos garajes

- ¿Tiene sótano?

- ¿Está cerca de las escuelas?

- ¿El horno, el aire acondicionado y más son buenos?

Si esta propiedad cumple con todos los requisitos que desea obtener de una casa, entonces probablemente no haya ninguna razón para que usted arregle y revenda la casa , a menos que pueda obtenerla muy por debajo del valor de mercado. Esta lista lo ayudará a mantenerse en el camino y conseguir una casa que no se esté cayendo a pedazos. Pero si le faltan algunas cosas, o si puede hacerla funcionar, entonces la propiedad todavía se puede considerar. Algunos ejemplos de cómo una casa puede no cumplir exactamente con sus criterios pero pueden modificarse para que se ajusten a su situación incluyen, son:

- Su comprador tipo desea una casa de tres habitaciones y dos baños con un área entre 1,400 y 2000 pies cuadrados. Miras una propiedad que tiene dos dormitorios, 1.5 baños y 1400 pies cuadrados sobre el suelo. Con una casa tan grande, significa que las habitaciones son muy grandes o hay habitaciones adicionales, como un comedor o un estudio. Si este es el caso, puede convertir uno de esos en un dormitorio y luego aumentar el valor y hacerla atractiva en el mercado. Mantenga esta propiedad y vaya al siguiente paso.

- Su comprador tipo está buscando una casa que tenga un garaje para 2 autos. La propiedad en cuestión tiene los requisitos de diseño y tamaño correctos, pero observa que no hay ningún garaje. Podría considerar comprarla. En este caso, mira la tarjeta del asesor y observa que el lote es estrecho y que la casa se apoya en los límites de la propiedad en ambos lados.No hay espacio para el garaje. En este caso, debería mudarse a una propiedad diferente en lugar de comprar.

- Los compradores prefieren tener una propiedad que esté a 30 minutos o menos de los principales centros de empleo. Usted encuentra una propiedad de la década de 1960 que podría tener algunas remodelaciones y cumple con los otros criterios, pero se encuentra a 45 minutos fuera de la ciudad en una carretera sin pavimentar y con un servicio de telefonía celular deficiente. Esta es probablemente una casa que descartarás.

Ahora, esto no significa que las propiedades anteriores no sean vendibles. Probablemente hay algunos compradores interesados. Pero como no cumplen con los requisitos de su comprador tipo, es probable que deba dedicar demasiado tiempo a remodelar y conservar la propiedad antes de obtener la venta. Recuerde que la reventa de propiedades es un negocio y usted está en él para obtener la mayor cantidad de ganancias posible. Debe establecer reglas firmes y estrictas para la reventa de su propiedad para asegurarse de obtener la mejor oferta y aumentar sus ganancias.

Aprenda cuál es el verdadero valor de mercado de la propiedad

Esta es una prueba que usaría para rápidos fracasos o propiedades que necesitarán muy pocas o muchas reparaciones. Si desea aumentar sus ganancias potenciales en una propiedad y reducir su riesgo, necesita comprar una propiedad que esté muy por debajo del valor de mercado. En un mercado de bienes raíces que está activo y, la mayoría de las propiedades será listada por un agente, esto a veces es un desafío. Sin embargo, si negocia en una compra privada, debe asegurarse de que no pidan demasiado. Aquí es donde el agente de bienes raíces que eligió y su propio conocimiento sobre el mercado pueden entrar en juego. Cuanta más experiencia adquiera, más fácil será reconocer si una propiedad figura en la lista anterior, en o por debajo de su verdadero valor de mercado.

En este punto del juego, solo estamos tratando de "pre-calificar" la propiedad. Mientras estudia el mercado, usted y su agente deben tener acceso a una base de datos que muestre todas las ventas recientes. Asegúrese de realizar una búsqueda de todas las ventas en esa área durante los últimos doce meses, aquellas que tienen características similares a su propiedad. Deben tener una edad similar (puede variar en algunos años), tamaño (una diferencia de pocos pies cuadrados está bien), dormitorios, baños, sótanos, garajes y área de terreno. Cuando tenga esta información, puede calcular la media y los valores promedio del precio de venta.

Asegúrese de que en este paso vaya del precio de venta real y no del precio de lista. Técnicamente puede hacer una lista de lo que usted quiera de la casa, pero eso no significa que obtendrá esa que ha enlistado. En un mercado con muchas casas y pocos compradores, el precio de venta puede ser mucho más bajo que el precio ofertado. En un mercado donde hay pocas casas y muchos compradores, el precio de venta puede estar por encima del precio ofertado.

El punto de hacer esto es verificar cuánto cree que puede obtener por la propiedad. Si cotiza a $ 100,000, y otras propiedades en el mercado se venden por $ 125,000, es posible que pueda obtener este último valor. Pero luego puede calcular cuánto costará renovar la casa. Si solo le cuesta $ 10,000 la renovación, entonces puede irse con $ 15,000 en ganancias. Pero si la renovación de esa casa cuesta $ 30,000, perderá dinero si la compra.

Otra cosa que puedes hacer aquí es usar la regla del 70 por ciento. Esta es una prueba que usaría para corregir y revender cualquier propiedad que vaya a necesitar algunas remodelaciones o algunas reparaciones sustanciales. Esta es una regla que muchos revendedores han estado usando durante años. Siempre que tenga una estimación precisa de las reparaciones que realizará, esta regla se ha probado y comprobado y puede ayudarlo a obtener al menos un 20 por ciento de ganancias. La regla es utilizar esta fórmula cuando tome sus decisiones de compra:

(ARV X .70): costos de rehabilitación = oferta máxima permitida

- ARV: Este es el valor después de la reparación. Esto es en lo que se venderá la propiedad cuando haga todas sus renovaciones y reparaciones. Puede trabajar con un agente de bienes raíces para ayudarlo a conocer este número.

- .70: Esta será su ganancia y todos los costos. Esto representará todos sus costos, incluidos los gastos imprevistos, los cargos por préstamos, los intereses hipotecarios y los costos de cierre. Esto te deja con un margen de beneficio del veinte por ciento.

- Costos de rehabilitación: Esta es la cantidad que pagará por las reparaciones. Asegúrese de incluir los costos para los contratistas y los permisos.

- Oferta máxima permitida: este es el precio que le ofrecerá al vendedor. Le da espacio para hacer todo y seguir obteniendo ganancias.

Ahora que tiene una idea de esta fórmula, necesita averiguar qué reparaciones deben completarse y el costo total de las mismas. Pero, ¿cómo se supone que debe hacer esto sin mirar a través de la propiedad y obtener un presupuesto del contratista? Esto es simplemente una fase de precalificación, por lo que aquí está bien estimar. Cuando vaya y revise la propiedad más adelante, puede determinar si el trabajo que debe hacerse será más o menos lo que estimó.

Puede obtener una buena estimación simplemente mirando las fotos de la propiedad. Es posible que no lo detecte todo, pero le da una pequeña idea de cómo es la propiedad y lo que debe hacerse para obtener un beneficio.Algunas de las cosas que debes buscar en esas fotos incluyen:

- ¿Cómo se ve la cocina? ¿Es bastante anticuada y necesitará mucho trabajo?

- ¿Cuántos baños tiene y cuantos dormitorios?

- ¿Condición y el tipo de los revestimientos del suelo?

- ¿Cómo se ve la casa por fuera?¿Cómo es el techo, el revestimiento o el paisaje?

- ¿Los comentarios del agente revelan alguna información? ¿Fue una casa de alquiler?

Si bien esto no le dará la cantidad exacta que necesita gastar, ya que necesitará un contratista que lo ayude, le puede dar una buena estimación que lo ayudará a comenzar y le ahorrará tiempo cuando vaya a mirar otras propiedades.

¿Cuál es la motivación del vendedor?

Puede pasar todo el día mirando los números y haciendo cálculos de la propiedad, pero a menos que el vendedor acepte la oferta que le da, no llegará muy lejos. Debe conocer la motivación del vendedor para determinar si aceptará su oferta. Probablemente ofrecerá un poco más bajo que el precio de venta e irá de allí, pero la motivación determinará si aceptan la oferta, si ofrecen contraofertas o si se niegan por completo.

Echemos un vistazo a un ejemplo de esto. La propiedad cotiza en el mercado por $ 110,000, pero usted quiere ofrecerle al vendedor aproximadamente un 25 por ciento menos que el precio solicitado.

- La propiedad fue listada en los últimos 30 días: esta es una oferta lowball. Puede ayudarlo a obtener algún ingreso en el proceso, pero si la casa ha estado en el mercado durante 30 días o menos, probablemente no la aceptarán. El vendedor acaba de colocar la propiedad en el mercado y probablemente estén dispuestos a esperar y ver si alguien más está interesado en ofrecer una mejor oferta.

- La propiedad fue listada por 120 días: en este momento, la motivación puede haber cambiado un poco. El precio de lista puede ser razonable, pero el vendedor puede estar más ansioso y frustrado de vender. Este es un momento mucho mejor para llevar la oferta a la mesa.

- La propiedad tiene un Aviso de incumplimiento registrado. Aquí es donde entra la motivación real. El vendedor tiene una casa que no se vende y si no reciben una oferta pronto, el banco la tomará y no recibirán nada. Existe una buena posibilidad de que el vendedor considere seriamente su oferta y que incluso la acepte.

Como propietario de una propiedad, es mejor comenzar primero con el listado activo más antiguo de la MLS y ver qué hay antes de pasar a algo más reciente. Esto le ayudará a encontrar a los vendedores que están más desanimados y los que están más dispuestos a aceptar sus bajas ofertas. También puede consultar a los vendedores que no están en la lista y que han recibido un NOD o que están pasando por otros cambios de vida sensibles y que necesitan vender sus casas rápidamente.

Las tres reglas muy importantes

Como principiante, probablemente esté realmente emocionado de comenzar y elegir su primera propiedad. Puede observar estas reglas y estas variables y asumir que puede cambiarlas para que funcionen para usted. Pero tan pronto como hace esto, está poniendo en riesgo sus ganancias.

En el mundo de la reventa de propiedades, es mucho mejor para usted ser paciente y esperar una buena inversión, en lugar de apresurarse y luego terminar perdiendo $ 10,000 de su propio dinero.

Puede desarrollar su propio estilo y su propia forma de hacer las cosas a medida que ingresa al mercado. Puede cambiar los requisitos que desea para una casa o una propiedad porque cambia el tipo de comprador que la desea. Puede que incluso necesite cambiar algunas cosas porque se muda a un nuevo mercado y encuentra que los compradores son un poco diferentes y quieren cosas diferentes.

Si bien su estrategia general puede cambiar un poco, especialmente si permanece en el mercado durante un largo período de tiempo. Pero si sigue las tres reglas que tenemos en esta guía, obtendrá la mejor propiedad para sus necesidades y podrá obtener ganancias en cada propiedad en la que trabaje.

Una nota sobre Trulia y Zillow

Cuando esté calculando el ARV, debe mantenerse alejado de sitios como Trulia y Zillow. Sí, hay muchos vendedores que se inscribirán aquí y está bien revisar y ver si hay alguna propiedad que le interese de estos listados. Pero cuando se trata de ARV, estos sitios solo ofrecen una estimación general, una que no es precisa para basar su oferta de compra.

En 2012, Redfin realizó un estudio para ver qué tan confiables eran Zillow y Trulia. El informe indicó que a estos dos sitios les faltaba alrededor del 20 por ciento de las listas activas en un mercado determinado y que podría tomar más de una semana antes de que se cargara una nueva lista. Además, se estimó que casi el 38 por ciento de las listas activas en ese sitio ya no estaban a la venta.

Cuando se trata de un mercado activo, no poder ver un listado durante nueve días podría significar que una gran cantidad de su inversión ya podría haber desaparecido para cuando la vea. Además, una gran parte de su tiempo, hasta un 35 por ciento, se desperdiciará en estos sitios porque está viendo muchos listados que ya no están disponibles. Además de esto, por cada 80 casas que consideró, había otras 20 posibilidades que nunca aparecieron, lo que significa que se perdió muchas oportunidades durante ese tiempo.

Las cosas se ponen aún peor cuando se trata de qué tan bien Trulia y Zillow pueden estimar el valor de la propiedad. Zillow proporciona una recomendación de precio o un presupuesto gratuito, pero no es tan exacto ir con esto.

De acuerdo con el informe de precisión de datos de Zestimate publicado a través de Zillow, estiman que tienen una tasa de error promedio de 8.3 por ciento. Y si sigue leyendo el informe, también afirman que solo el 38.4 por ciento de las veces están dentro del 5 por ciento del precio de venta real. Cuando se trata de la cantidad de ganancias que puede obtener en un giro, este margen de error es peligroso y realmente puede poner en riesgo sus ganancias.

Cuando trabaja en el negocio de la reventa de propiedades, un error que puede llegar hasta un 30 por ciento es bastante suicida. ¿Cómo se supone que debe obtener cifras exactas y obtener ganancias de una casa si termina pagando un veinte por ciento más porque su estimación le dijo que era una buena oferta?. Si sigue las recomendaciones de precios de Zestimate, podría perder fácilmente todas sus ganancias en cada transacción.

Es por esto que es tan importante seguir las reglas que tenemos en este capítulo y asegurarse de que realmente busque en la lista MLS de propiedades. Esto lleva tiempo y puede que no sea tan conveniente como lo puede ser con Zestimate y algunas otras herramientas en línea gratuitas. Pero como esas herramientas en línea son a menudo muy inexactas, es importante que sus ganancias no las sigan. Trabaje con un agente, aprenda el mercado y cotice competitivamente.

Comprar la propiedad adecuada para revenderla puede ser un paso importante para ayudarlo a comenzar con una inversión. Debe asegurarse de que está seleccionando una oportunidad de inversión que está por debajo del valor de mercado, que no le costará mucho dinero y que puede ayudarlo a obtener una buena ganancia en un corto período de tiempo. Seguir los consejos de esta guía puede ayudar realmente a que esto suceda.

Capítulo 7: Los Pasos para Comprar su Primera Propiedad para Revenderla

Este es el capítulo que ha estado esperando, en el que vamos a desglosar el proceso de compra real de una propiedad, desde la oferta hasta la inspección, y hasta el cierre de la transacción. Va a ser largo, pero contará con los pasos que debe conocer una vez que encuentre la propiedad perfecta y decida que desea comprarla. Echemos un vistazo a los pasos que debe seguir.

El acuerdo de compra

Cuando esté listo para comprar una propiedad, hay dos tipos básicos con los que trabajará. Usted comprará una propiedad a través de la MLS con un agente autorizado, o hará una venta por el propietario o FSBO. Las propiedades en venta por el propietario a veces pueden ser un poco más desafiantes porque no tendrá un agente de su lado para defenderlo y trabajar con usted. Pero aparte de eso, el proceso es el mismo e incluso puede utilizar el mismo acuerdo de compra.

Si bien a algunos revendedores de propiedades les gusta la idea de hacer el trabajo por su cuenta para ahorrar algo de dinero en las primeras transacciones, puede ser mejor trabajar con un agente de bienes raíces para ayudarlo a encontrar las propiedades correctas. Un buen agente puede valer el dinero extra y, como los paga el vendedor en este momento, es una excelente opción. Si trabaja con un agente, ellos tendrán su propio acuerdo de compra, por lo que puede ahorrarle tiempo.

Una vez que localice la propiedad que desea comprar, debe completar el formulario y enviarlo al agente del comprador, si es que tiene uno. Si luego decide salir y hacer ofertas en propiedades que no están en la lista, puede usar el mismo formulario y hacer copias para futuras ofertas. Solo asegúrese de que todas las declaraciones que enlazan con una autoridad de licencias, cualquier agente o cualquier compañía de bienes raíces sean eliminadas. De lo contrario, estos son formularios exigidos por el estado en los que ya se incluyen todas las cláusulas de protección legal para protegerlo a usted.

El precio de compra

Como propietario de una propiedad, querrá pagar el precio más bajo posible. Pero hay algunos mercados donde esto puede ser particularmente difícil porque la demanda es tan alta que las propiedades se venden al precio de venta o por encima de él. Si este es el caso, puede ser difícil convencer a un comprador incluso para que escuhe su oferta con descuento.

Esto no significa que solo deba rendirse. Simplemente significa que necesita cambiar su estrategia. Siempre puede hacer una oferta con el precio completo y luego pasar por una renegociación más adelante si realiza una inspección que revela que hay una tonelada de problemas costosos que deberá solucionar.

Cláusulas de seguridad

Cada acuerdo de compra con el que trabaje tendrá algunas cláusulas de contingencia. Esto le permite salirse de la negociación si algo no es como se esperaba o si hay algunos problemas importantes que el vendedor no resolverá. Algunas de las cláusulas que un revendedor de propiedades debe asegurarse de que estén en su acuerdo de compra incluyen:

- Sujeto a inspección: Esto debería estar automáticamente en todos los acuerdos de compra, pero puede ser aún más importante para una propiedad que se encuentra en remodelación. Aunque es posible que ya se haya dado cuenta de que la casa necesita reparaciones, aún así, haga la inspección. Una remodelación de la cocina pequeña es mucho más fácil y menos costosa de manejar, al contrario de la reconstrucción de la base. Luego, después de que haya completado la inspección, si encuentra que todavía hay muchas reparaciones que hacer, esta es la cláusula que puede permitirle negociar un mejor precio, o incluso retirarse de la oferta.

- Sujeto a financiamiento: si planea obtener financiamiento para el proyecto, entonces necesita obtener la aprobación previa antes de presentar una oferta para una propiedad. Pero si va a comprar la propiedad y luego se le niega el préstamo por alguna razón, esta es la forma en que obtiene el acuerdo.

- Sujeto a evaluación: si realiza una oferta que está sustancialmente por debajo de lo que cree que es un valor de mercado, entonces esta cláusula no es necesaria. Pero si crees que puedes hacer un cambio rápido, querrás agregar esto. Traiga un tasador y asegúrese de no pagar demasiado en la casa.

Recuerde que cuantas menos clausulas agregue al acuerdo de compra, más probable será que el vendedor las acepte. Además, muchos vendedores no quieren pagar sus costos de cierre y rara vez aceptan ofertas que están supeditadas a la venta de otra propiedad. Esto no debería ser una gran oferta si solo está utilizando esto como una propiedad de inversión.

Deposito de dinero

Después de que el vendedor acepte la oferta que envías, deberás pagar algún tipo de depósito de confianza. La cantidad va a variar, pero le demuestra al vendedor que usted es un comprador serio. Estos depósitos serán retenidos por un tercero y no se entregarán al vendedor hasta el momento del cierre. Entonces este depósito puede ser aplicado al precio de compra.

Mientras esté trabajando en el acuerdo de compra, verifique que el depósito se pagará una vez que el vendedor lo acepte. Si tiene muchas ofertas en propiedades, no quiere cerrar miles de dólares en una oferta que no va a ninguna parte.

La inspección

Una vez que el vendedor haya aceptado la oferta que envía, es hora de hacer una inspección. La primera inspección será cuando vaya a visitar la propiedad y la revise. No podrá ver todas las cosas que deben hacerse (este es un trabajo para un profesional), pero puede obtener una buena idea sobre algunas de las correcciones que deben hacerse, qué reemplazará. y una estimación de lo que costará. Una vez que la oferta haya sido aceptada, es hora de inspeccionar la propiedad mucho más de cerca para que sepa la cantidad que deberá pagar en trabajos de renovación.

A quién traer

A menos que tenga mucha experiencia y una licencia de constructor, lo mejor es traer un contratista general. Sí, puede que tenga que pagar un poco más por su tiempo, pero vale la pena cada centavo. Es probable que este contratista encuentre una gran cantidad de problemas que puede haber pasado por alto y puede brindarle mucha información importante sobre la propiedad.

Durante este tiempo, contrate a un inspector de la casa también. Estas inspecciones le costarán entre $ 400 y $ 600. A diferencia del contratista, el inspector buscará problemas que afecten la seguridad de la casa. Buscan cosas como violaciones de código, problemas eléctricos, infestaciones, moho, problemas de plomería y más. Esto puede ayudarlo a saber exactamente en qué se está metiendo antes de pagar la propiedad.

También puede traer a su agente contigo. A medida que su contratista va y hace sugerencias sobre cómo mejorar la propiedad, su agente también puede brindarle ayuda. Pueden evaluar cómo responderá el mercado a estos cambios y si realmente lo ayudará a aumentar el valor de mercado.

Que traer

Al pasar por la inspección, hay algunos elementos que querrá tener a mano. Éstos se asegurarán de que usted pueda ver realmente lo que está sucediendo con la propiedad y si es una buena inversión. Algunas de las cosas en esta lista son un poco extrañas, pero realmente pueden ayudarlo a conocer la propiedad. Algunas cosas para llevar a la inspección de su casa incluyen:

- Una cámara: Esto puede ayudarlo a documentar algunos de los problemas con la casa. También es una buena ayuda para su memoria.

- Cinta de medición: Esto puede ayudarlo a saber cosas como el tamaño de una habitación cuando va a obtener estimaciones sobre pisos, cortinas y más.

- Linterna: deberá pasar un tiempo mirando los espacios de acceso de la casa nueva, incluso en el ático, y en rincones oscuros de los gabinetes.

- Nivel de construcción: nunca se sabe cuándo querrá comprobar qué es el nivel y qué no está dentro de la propiedad.

- Binoculares: una opción es subir al techo para revisar las tejas, pero la mayoría de las personas no quieren hacer eso. Un conjunto de binoculares asegurará que pueda permanecer en un nivel inferior y aún así tener una buena vista del techo.

- Mármol: esta es una de las mejores maneras de ver si un piso está nivelado o si los gabinetes de la cocina se hicieron rectos.

Donde mirar

Cuando inspecciona una propiedad por primera vez, debe caminar por toda la casa para familiarizarse con ella. Comience en un piso, cuando haya terminado, y vaya lentamente a través de cada una de las habitaciones, cada armario, y cada rincón y grieta. Escriba todo lo que parece fuera de lo común o lo que quiera arreglar más tarde, y tome fotografías de todo.

Mientras realiza una inspección, hay tres áreas básicas que deberá cubrir. Estas incluyen:

- El diseño: al mirar a través de la casa , recuerde que los compradores están más interesados en un espacio abierto. Debe haber un buen flujo en la casa, o debería ver el potencial para crear uno. Nunca elija una casa que requiera que usted pase por un dormitorio para llegar a otra parte de la casa.

- Condición: Mire el borde, los azulejos y las alfombras. Inspeccione todos los sistemas de calefacción, plomería y sistema eléctrico. Estos pueden ser costosos para que los reemplace y, si necesitan trabajo, tendrá que hacerlo antes de vender.

- Potencial: el dinero real en casas de reventa es convertir una casa fea en una hermosa. Debes mirar detrás de la alfombra dañada o la pintura defectuosa e imaginar lo que podrías hacer con ella. Mientras sea estructuralmente sólido y no necesite arreglar grandes cosas, cuanto más fea sea la casa, mayor será el beneficio potencial.

Cuando deberias huir

Como propietario de una propiedad, estás gastando tu tiempo buscando casas poco atractivas y feas para que puedas hacer algo de magia y obtener ganancias. Pero a pesar de esto, todavía hay algunas propiedades que van a suponer un esfuerzo excesivo y no le darán los beneficios que desea. También hay algunas propiedades que parecen buenas, pero una vez que se realiza la inspección, es mejor huir. Algunas de estas incluyen:

- Moho: La remediación del moho es muy costosa. Si compra una casa y el comprador se entera de que hubo un problema de moho, incluso si ya lo ha arreglado, esto puede apagarlos. Si encuentra un poco de moho en un rincón escondido de un armario, simplemente puede reemplazar el panel de yeso en esa área o limpiarlo y no es un gran problema. Pero si se encuentra moho en las paredes, entonces necesita correr.

- Termitas: si usted o el inspector piensan que hay una infestación, debe contratar a un especialista en control para averiguar qué tan grave es el problema. el daño de la termita en la superficie no es un gran problema y puedes arreglarlo. Pero si encuentra que las termitas están atacando algunos de los componentes estructurales de la propiedad, es hora de correr.

- Problemas con las bases: no se puede ganar dinero si tiene que levantar toda la casa para reemplazar su base. Los compradores quieren una base que sea nivelada y no la pagarán si no es así. Los problemas de las bases pueden causar problemas continuos en toda la casa, incluso después de solucionar el problema. La mejor idea aquí es simplemente mantenerse alejado y dejar esto a los profesionales.

Si finaliza la inspección y descubre que hay muchas sorpresas que no se incluyeron en el presupuesto, no asuma automáticamente que no puede ir por esta propiedad. Si tiene un vendedor que está altamente motivado, entonces pueden estar dispuestos a solucionar el problema o ajustar el precio para ayudarlo.

Capítulo 8: Trabajar en una Reventa Rápida para Ganar Dinero en la Reventa de Propiedades Hoy Mismo!

Las propiedades revendidas son el primer tipo de casa de las que vamos a hablar. Estss son las que comprará, hará algunas renovaciones simples y luego venderá en unos pocos meses, si no antes. Desea hacer esto lo más rápido posible, con el menor trabajo posible.

Encontrar la propiedad correcta

Lo primero que debe hacer aquí es encontrar la propiedad adecuada para hacer una reventa rápida. Si desea ganar dinero con menos esfuerzo, debe encontrar propiedades a un precio barato. Dado que la mayoría de los agentes van a ponerle precio a una propiedad al valor de mercado para obtener la mayor cantidad de dinero posible, puede ser difícil para usted encontrar una propiedad barata cuando se mira un MLS. Es posible que deba pasar un tiempo mirando a su alrededor y encontrar sus propias propiedades cuando realice una reventa rápida. Algunos de los lugares que puede buscar para encontrar una propiedad para una reventa rápida incluyen:

- A la venta por el propietario

- Propiedades feas

- Propiedades de transición

- Pre-ejecuciones hipotecarias

- Jubilados

- Vendedores altamente motivados, como aquellos que necesitan mudarse por una transferencia de trabajo.

Estas propiedades deben ser aquellas que necesitan muy poca cantidad de trabajo. Hay alguna otra razón, aparte de una casa que es fea o se está desmoronando, por la cual la propiedad se ofrece a un bajo precio. En un mundo perfecto, usted compraría la casa, agregaría un poco de pintura, la limpiaría un poco y haría un poco de "puesta en escena", y luego podrá volver a venderla por mucho más. Esto no es realista, ya que usted quiere asegurarse de que cualquier propiedad que se compre en una reventa rápida no tenga un montón de trabajo en ella, o terminará perdiendo ese proceso.

Cambiar la Apariencia

Debe encontrar una propiedad que sea realmente fácil de arreglar y aumentar el valor. Cuanto menos deba gastar en las renovaciones durante este tiempo, mejor. Las propiedades que se ven superficialmente feas tienen un gran potencial cuando se trata de ganar un dólar rápido.

Con estas propiedades, las partes importantes de la casa están en buena forma. El techo es bueno, los electrodomésticos, el horno y demás están en buen estado de funcionamiento. Pero la alfombra vieja, la pintura vieja o la falta de atractivo quitan el valor y alejan a los compradores potenciales. La reventa rápida perfecta solo requerirá un poco de limpieza y un par de galones de pintura, y obtendrá el aspecto que desea al mismo tiempo que aumenta sus beneficios potenciales.

Con una reventa rápida, algunas de las cosas que puede querer cambiar en la casa para obtener el mayor beneficio por la menor cantidad de trabajo incluyen:

- Agregar una nueva capa de pintura: Si va a renovar el trabajo de pintura en una propiedad, asegúrese de mantener colores modernos y neutros.

- Reemplace los accesorios: si hay algo de bronce en la casa , cambie a plata. Si hay luces de globo cambielas por ventiladores de techo.

- Nuevo hardware: se sorprenderá de lo mucho que puede cambiar el aspecto de una casa cuando agrega nuevas bisagras, interruptores o tiradores en la casa

- Paisajismo: si va a cambiar el paisajismo, intente hacerlo de un mantenimiento poco costoso. Vaya con arbustos y algunas flores resistentes que son fáciles de mantener. La iluminación también creará una buena impresión en el patio.

- Una puerta delantera que es brillante: a muchos compradores les gusta tener una puerta que está cubierta de manera brillante. Use pintura en aerosol en lugar de un pincel para acelerar el proceso y ahorrar dinero.

- Hacer un bonito patio trasero. El patio trasero también puede ser importante para vender su casa. Cree un patio trasero que sea seguro para los niños y donde el entretenimiento no falte.

Ganar dinero con la reventa de propiedades sin una gran remodelación

Cuando realiza una reventa rápida, desea poder maximizar su rendimiento lo más que sea posible. No va a tener la propiedad fuera del mercado mucho tiempo antes de que intente venderla, porque esto solo puede reducir un poco las ganancias. No desea gastar un montón de dinero en renovaciones y recortar aún más las ganancias.

Afortunadamente, hay algunas cosas que puede hacer para ganar más dinero con estas reventas rápidas

Primero, debe asegurarse de comprar la casa por debajo del valor de mercado. Los cambios en la superficie no van a cambiar el valor, pero sí cambiarán las percepciones. El tasador mirará más allá de la bonita puerta y el paisaje, por lo que la cantidad de la tasación será la misma que antes de su trabajo. Pero los compradores no tendrán ese objetivo. Debe comprar la casa por el valor de mercado más bajo posible. De esa manera, cuando lo venda, puede venderlo a su valor de mercado y tener ganancias.

También debe reducir su período de retención tanto como sea posible. Cuanto más rápido pueda revender esa propiedad, menos pagará en costos de tenencia, incluidos servicios públicos, impuestos, seguros e intereses hipotecarios. Si realmente desea beneficiarse de este proceso, puede intentar vender la propiedad usted mismo y ahorrar un poco en la comisión a un agente de bienes raíces. Si hace esto, debe comenzar a publicitar tan pronto como renuncie a las contingencias de compra. Si va todo bien, incluso puedes dejar que los compradores escojan sus propios colores de pintura.

Cuanto más rápido pueda encontrar un comprador para la propiedad, será una mejor inversión. En algunos casos, es posible que pueda encontrar un comprador antes de que se realice la venta, e incluso puede usar el dinero que recibe del comprador para ayudar a financiar la cantidad por la que compró la propiedad. Luego, puede arreglar la casa y tenerla lista para su comprador.

Es una solución rápida que puede ser una excelente manera de ayudarlo a ganar mucho dinero en la reventa de propiedades, pero tiene que hacerlo sin muchos errores o mucho espacio para respirar. También necesita encontrar una propiedad que se ofrezca por debajo del valor de mercado pero sin mucho trabajo. Esto puede ser un desafío, pero a medida que aprenda más sobre el mercado y haga algunas conexiones, podrá encontrar estas propiedades y ganar algo de dinero.

Capítulo 9: Cómo Hacer una Reventa de Propiedades con una Renovación de Propiedad

Si bien hay ocasiones en que tendrás una solución rápida, estas son más raras. Es difícil encontrar una casa que se ofrezca por debajo del valor de mercado que no necesite una tonelada de renovaciones. En la mayoría de los casos, trabajará en propiedades que necesitan más tiempo y más trabajo. Estas propiedades necesitarán diversos grados de rehabilitación, renovación o reparación para maximizar su valor de reventa. La renovación puede requerir más planificación y habilidades en comparación con otras, pero si puede hacerlas de manera efectiva y con el menor costo posible, le puede proporcionar una tonelada de satisfacción y dinero.

Cómo encontrar una de estas propiedades

El desafío aquí es encontrar la propiedad que puede renovar y ganar dinero. Hay algunas propiedades de este tipo de mejor que otras. Algunos lugares en los que puede enfocar su atención para hacer este tipo de reventa incluyen:

- Reparadores

- Ventas de bienes

- Divorcios

- Propiedades en subasta

- Conversiones multifamiliares

- Construcciones estancadas

- Casas abandonadas

- Propiedades de transición

Necesita recorrer muchos caminos diferentes para obtener estas propiedades. Dependiendo de cómo va el mercado, puede ser difícil. Es posible que deba esperar un tiempo para encontrar estas propiedades y que deba consultar a las personas que conoce. La red puede ser una herramienta muy poderosa, y tener una buena red de personas que lo están buscando y que trabajarán con usted cuando se enteren de una propiedad, realmente puede hacer una gran diferencia.

Cómo determinar qué tan rentable será la propiedad

Cuando se involucra en la reventa de propiedades, es importante concentrarse en las ganancias que puede obtener con el menor esfuerzo posible. Nadie quiere tirar el dinero y fallar cuando se meten en esto, por lo que debe asegurarse de contar con un buen plan que lo ayude a determinar qué tan rentable será cada propiedad antes de comenzar. La rentabilidad será una combinación de precio de compra, costos de mantenimiento, estimaciones de renovación precisas y su beneficio deseado. Hablamos de esto un poco antes, pero la fórmula que puede usar para determinar la rentabilidad de una propiedad incluye:

(ARB X .70) —Costes de rehabilitación = Oferta máxima permitida

El precio de la compra

Todo esto va a comenzar con su precio de compra. Si termina pagando entre un cinco y un diez por ciento más, esa es la cantidad que se eliminará de las ganancias que obtenga en este proceso. Entonces, ¿cómo sabe si va a comprar una propiedad por un precio justo ?

Aquí es donde su red va a ser realmente valiosa. No se trata solo de obtener la SMA de su agente, sino que también deberá trabajar con un contratista para determinar cuánto costarán las renovaciones. Claro, puede encontrar que la propiedad vale $ 185,000, pero si descubre que necesita reemplazar todo el techo, es posible que tenga que reconsiderar cuánto pagará.

La rehabilitación

Si bien el precio que paga por esa propiedad es importante, también desea tener una buena estimación de cuánto serán las renovaciones y la rehabilitación para su proyecto. Recuerde que las renovaciones nunca serán tan fáciles como espera, incluso después de haber estado en la industria por algún tiempo. Si desea jugar de manera segura, obtenga un presupuesto por escrito y luego añádale un cinco por ciento para que esté seguro. Si es posible hacer el trabajo por menos, entonces puedes mantener el beneficio extra. Pero si las cosas se complican, entonces tendrá un cojín en el que confiar.

En algunos casos, es posible que deba decidir qué tipo de renovaciones son las más importantes para realizar. Es posible que no tenga el dinero para hacer todas las cosas que la casa necesita en el tiempo que tiene. Hay algunos tipos de renovaciones que debe considerar hacer si puede ayudar a mejorar el valor de la casa. Las cinco principales renovaciones que puede hacer en su propiedad, en orden de demanda, incluyen:

- La cocina: Esto no significa que tenga que tener $ 25,000 a $ 50,000 para renovar la cocina. Podría considerar renovar la superficie de los gabinetes, cambiar algunas encimeras y colocar algunos pisos nuevos y puede hacer que la cocina se vea como nueva.

- Baños: los nuevos accesorios, los colores frescos y los nuevos pisos realmente pueden cambiar el aspecto de su baño y hacer que sea más atractivo para su potencial comprador.

- Plan de espacios abiertos: mientras que las casas más antiguas pueden ser excelentes para revenderlas, a menudo serán claustrofóbicas. Sacar un muro para abrir la sala de estar puede hacer una gran diferencia en la casa y en lo bien que se puede vender, sin que le cueste mucho dinero.

- El atractivo y el paisajismo: las primeras impresiones son tan importantes cuando se quiere mantener el patio verde y bien recortado. Puede limpiar las canaletas y el revestimiento, volver a pintar las puertas y reemplazar la puerta del garaje. Incluso puede agregar algunas flores y arbustos nuevos para darle un mejor aspecto a la casa.

- Pisos: Tener un suelo viejo y desaliñado en la casa puede arruinarlo.Es posible que desee pasar de vinilo a azulejo o alfombra a madera, lo que realmente puede ayudar a que esa casa se vea a un nivel de precios más altos.

Hay otras opciones que puede considerar si tiene el dinero para hacerlo y aún así obtener una ganancia. Usted podría agregar algunos baños adicionales o dormitorios. Puede convertir un ático o un garaje. Agregar algunas cosas para una suite principal realmente puede ayudar a aumentar el valor por el que puede vender la propiedad. Debe determinar cuánto tiene que gastar, en cuánto puede vender la casa y cuánto tiempo tiene.

El valor después de la reparación

Este no es el punto para hacerse preguntas. Debe hablar con el contratista acerca de las cosas que recomienda para ayudar en la propiedad y obtener esos cálculos por escrito para hacerlos firmes. Luego lleve estas estimaciones a su agente de bienes raíces. Debe saber si gastar $ 15,000 en la cocina le devolverá los $ 15,000 y adicional ganar $ 3,000 osea el 20 por ciento. En algunos casos, lo hará, en otros no, por lo que tendrá que asegurarse de que valga la pena su tiempo.

Cuando obtenga su valor de reparaciones, trate este número como un evangelio. No trate de modificarlo o alterarlo. No diga cosas como "Oh, no te preocupes. Solo pediré $ 5000 más. Lo conseguiremos, estoy seguro. Esto significa que usted está caminando sobre hielo fino y es la razón principal por la que eset tipo de revendedores fallarán. Debes seguir con ese ARV original. Puede haber ocasiones en las que pueda vender la casa por más del ARV, pero es mejor seguir con ella y ganar más en ganancias que aumentar su ARV para no generar ganancias.

Haciéndolo usted mismo o contratando a un contratista

Puede sonar atractivo hacer todo el trabajo por su cuenta. Quizás haya hecho algunas de las reparaciones en su propia casa y sienta que tiene las habilidades suficientes para realizar el trabajo. Y piensa en todo el dinero que podría ahorrar si no tiene que entregar el dinero al contratista.

Sin embargo, esto no significa que deba hacer todo el trabajo por su cuenta. Hay una gran diferencia entre algunas reparaciones simples en su propia casa en comparación con la remodelación de una casa que desea comercializar y vender en unas pocas semanas.Si no es un profesional, puede pasar por alto algunos pequeños errores, pero el comprador y sus inspectores no lo harán y podrían terminar costándole a usted más adelante.

Recuerde que, independientemente de que contrate o no a su propio inspector, los compradores llevarán su propio inspector de viviendas. El inspector encontrará un trabajo fallido que podría costarle el acuerdo. Dependiendo de lo que se haga mal, podría incluso bajar el precio que puede pedir por la casa. Y en algunos casos, el trabajo que debe realizar necesitará permisos y un profesional con licencia para hacerlo. Si esto sucede, necesita tener un profesional, en lugar de hacer el trabajo por su cuenta.

En la mayoría de los casos, es mejor que tenga a un contratista para que haga el trabajo por usted, especialmente en cualquier trabajo que necesite perfección y precisión. Pueden asegurarse de que se haga de la manera correcta. Pero usted puede hacer parte del trabajo y ahorrar dinero, como el paisajismo o el repintado de las habitaciones, si así lo desea.

Algunas de las cosas en las que puede concentrarse cuando trata de decidir si desea o no contratar a un contratista profesional para hacer el trabajo o si desea hacerlo por su cuenta incluyen:

- ¿Todavía tiene un trabajo que realiza a tiempo completo y planea mantener ese trabajo mientras realiza la reventa de la propiedad?

- ¿Realmente tiene ganas de pasar todo tu tiempo libre y sus fines de semana durante seis meses o más, trabajando en la casa y esperando que todo salga bien y esperando que le ahorre dinero?

- ¿Podría permitirse hacer estas reparaciones si deja su trabajo ahora y luego se concentra en este proyecto?

Los contratistas son preferibles en la mayoría de las situaciones. Nadie realmente quiere pasar su tiempo libre reparando la casa. Ellos pueden hacerlo bien. Y a menudo, los inversionistas tendrán otros trabajos que aún tienen que hacer durante el día. Los contratistas también están acostumbrados a trabajar en una fecha límite y pueden hacer el trabajo rápidamente, ayudándole a establecer la casa en el mercado en poco tiempo. Recuerde, mientras más rápido pueda realizar el proyecto y ponerla en el mercado, más rápido podrá obtener ganancias.

Cómo administrar su rehabilitación

Cuando esté trabajando en una renovación o rehabilitación de su propiedad, recuerde que el tiempo es dinero. Cuanto más tiempo esté la propiedad en sus manos, más le costará y obtendrá un beneficio menor. Tendrá que pagar impuestos, servicios públicos, intereses hipotecarios y otras cosas más por cada mes que sea propietario de la casa. Debe asegurarse de que sus contratistas se mantengan en el buen camino y hagan el trabajo a tiempo.

Hay otras tareas que deberá administrar durante este tiempo. Deberá pagar las facturas de la propiedad y su presupuesto también deberá mantenerse. Debe mantener a sus contratistas y quitar cualquier deseo que tenga de actualizar la casa para que se mantenga dentro del presupuesto. En el momento en que comience a construir o actualizar en exceso y supere lo que el mercado tolerará, recuerde que está reduciendo sus márgenes de ganancia.

Mantenerse organizado puede ser lo más importante cuando esté trabajando en este proyecto. A medida que se acerque a terminar este proyecto, mantenga todo en orden. Incluso puede crear una lista "to-do" de todas las cosas que el contratista necesita para terminar y que no quiere que se olviden de completar en el proyecto.

En la mayoría de los casos, usted va a trabajar en algún tipo de renovación cuando compre una propiedad para invertir.

Estos son los que a menudo están por debajo del valor de mercado, por lo que tiene cierto potencial para solucionarlos y devolverlos al valor de mercado en cualquier momento. Solo necesita comprender completamente el mercado, elegir el precio correcto para pagar, hacer todas las renovaciones por un buen precio y luego poner la casa en la lista y venderla en un corto período de tiempo.

Capítulo 10: Cómo Vender su Propiedad y Obtener un Beneficio

Una vez que su propiedad esté arreglada, e incluso antes de que se haga todo, tendrá que trabajar para encontrar un comprador para la propiedad lo más rápido posible. Esto asegurará que usted sea capaz de sacar la casa del mercado y venderla, brindándole la mayor ganancia posible. Vender la propiedad puede ser otro desafío. El precio debe ser correcto, las renovaciones y los arreglos tienen que impresionar, y necesita anunciarse a las personas adecuadas. Echemos un vistazo a algunos de los pasos que vienen con la venta de su propiedad.

¿Vendiendo por su cuenta o vendiendo con un agente?

Comprar una propiedad con un agente de bienes raíces es una gran idea. El vendedor es el responsable de pagar la comisión de ese agente, por lo que obtiene todos los beneficios de utilizar un agente sin tener que pagar por ninguno de ellos. Sin embargo, cuando se trata de vender la propiedad, los servicios, la asistencia y la experiencia de un agente pueden ser útiles, pero tienen un precio que puede afectar sus ganancias.

Pagar una comisión al agente de bienes raíces puede ser un gasto importante que debe tener en cuenta para ayudarlo a determinar sus ganancias. Cuando multiplicó su ARV por .70, la comisión que pagará al agente se calcula automáticamente como parte del margen de beneficio del 30 por ciento. La mayoría de los agentes de bienes raíces cobran entre el 5 y el 7 por ciento del precio de venta. Entonces, si vende una casa por $ 250,000, tendría que pagarle al agente de bienes raíces entre $ 12,500 y $ 17,500. Un agente de bienes raíces puede valer la pena, pero debe recordar eso cuando piense en sus ganancias.

El agente de bienes raíces hará maravillas para ayudarlo a vender su propiedad, por lo que descartarlos solo por el gasto es una mala idea. Ellos te ayudarán a encontrar un comprador. Ellos se encargarán de todos y cada uno de los costos de comercialización de su propiedad. Ellos serán los que mostrarán a los interesados la casa. Trabajarán con la agencia que está manejando el cierre para asegurarse de que todo se haga bien. Si hay alguna complicación en estas áreas, el agente intensificará sus acciones e intentará resolverlas.

Esto puede ser bueno para usted. En lugar de centrarse tanto en revender la casa después de realizar todas las renovaciones y rehabilitaciones, puede buscar la próxima inversión. Además, debes considerar seriamente si tiene las habilidades y los recursos para poder vender por su cuenta. Las transacciones de bienes raíces tienen muchas variables y hacerlo por su cuenta puede arriesgar una demanda de un comprador que no está satisfecho. Tener un agente con las credenciales correctas puede reducir la probabilidad de que algo como esto suceda, y pueden quitar una gran parte del trabajo de su plato.

Con todo esto en mente, a menudo es mejor que para el primer par de propiedades, tener un agente. Podrán ayudarlo a acostumbrarse a todo el proceso y, al menos, aprender las bases antes de que decida hacerlo todo por su cuenta.

Atrayendo compradores a su casa

Con la reventa de propiedades, cuanto más rápido pueda localizar un comprador y cerrar el trato, mejor. Debe encontrar compradores que vayan a elegir su propiedad sobre cualquiera de las otras opciones similares en el mercado. Algunas de las cosas que puede considerar hacer para ayudar a que su propiedad se mantenga por encima del resto incluyen:

Publicidad

Cuando esté listo para vender su propiedad, necesita comenzar a publicarla. Si trabaja con un agente de bienes raíces, ellos se encargarán de la publicidad, lo que le ahorrará mucho tiempo y molestias. Pero si está haciendo la publicidad por su cuenta, es posible que deba comenzar temprano. De hecho, considere comenzar antes de que la propiedad esté completamente lista para el mercado, de modo que pueda hacer que los compradores potenciales estén en fila y listos para comenzar.

Hay muchos lugares diferentes para listar su propiedad. Puedes listar en los clasificados locales. Puede utilizar algunos de los sitios de medios sociales para su área. Incluso puedes trabajar con algunas opciones como Zillow y Trulia. Si bien estas opciones son horribles cuando intenta usarlas para obtener estimaciones sobre el valor de una propiedad, pueden ser una buena manera de comunicarse con su posible comprador y hacer que se comuniquen con usted sobre la propiedad.

Ya sea que use un agente de bienes raíces o no, es importante comenzar a establecer contactos con otros en su comunidad. Esto le ayudará a correr la voz acerca de cada una de sus propiedades. El hecho de que alguien en su red no necesite la propiedad en ese momento, no significa que no necesitará una propiedad que tenga más adelante o que no conozca a alguien que esté buscando en este momento. Esto puede llegar a ser un gran recurso para usted a medida que crece este negocio.

Puesta en escena

A veces, los compradores no tendrán la visión de ver todo el potencial de la casa. Es posible que necesiten un poco de ánimo para imaginar cómo se verá la casa cuando esté amueblada. A menudo, dejar las habitaciones vacías realmente puede apagar a un comprador potencial. Una casa bien preparada se venderá mucho más rápido que una casa que quedará vacía, incluso si el comprador no se queda con algunos de los muebles.

Hay tres opciones que puede elegir cuando decide realizar la puesta en escena. Puede optar por hacerlo usted mismo, hacer un alquiler con opción a compra del tipo de empresa o usar stagers profesionales. Si desea vender una casa de rango medio a alto, un experto puede valer el costo adicional. Incluso puede alquilar una sala de estar y un dormitorio principal si lo necesita y luego devolver los artículos cuando se venda la casa. Usted mismo puede hacer el trabajo si se siente confiado en sus habilidades y quiere ahorrar un poco de dinero en este paso.

Casas abiertas

Si bien debería haber compradores que lo contactarán para hacer visitas privadas de la casa, las casas abiertas también pueden tener algún valor. Esta es una excelente manera de mostrarle a la comunidad todas las mejoras que hizo en la propiedad. Asegúrese de tener suficientes fotografías de antes y después para que las vean y de que haya algunas tarjetas de visita y folletos disponibles. Es probable que no venda la casa desde esa casa abierta (aunque a veces sucede), pero puede obtener una referencia de un posible comprador.

Contratos de tierra y opciones de arrendamiento

Un hecho sorprendente con el que puede encontrarse es que hay muchos compradores que tienen un puntaje de crédito decente, pero no tienen suficiente dinero para pagar un anticipo para obtener su préstamo. Si realiza una verificación de antecedentes o un informe de crédito del comprador y descubre que su riesgo es bajo, podría considerar la posibilidad de vender la casa con un contrato de tierras o una opción de arrendamiento.

Sin embargo, hay algunos problemas que pueden apuntalar con este. Primero, va a bloquear su capital para el próximo año o más. Pero los pagos adicionales y el interés que el comprador le da pueden aumentar su rendimiento.

La opción de arrendamiento tendrá dos documentos que son importantes. Uno va a ser para el contrato de arrendamiento y el otro es para la compra. El arrendatario pagará una tarifa de mercado de alquiler, más un pago mensual por la compra futura de la casa. Si terminan retirándose de la opción de arrendamiento o no pueden hacer los pagos, entonces usted recupera la venta de la casa y todos los pagos que ya hicieron no son reembolsables.

También puede optar por ir con la opción de vender la propiedad en un contrato de tierras. El pago inicial para este será más bajo que otras opciones, y se mantendrá por debajo del diez por ciento. Pero la tasa de interés aquí será mucho más alta que algunos préstamos convencionales. Después de tres a cinco años, el comprador deberá pagar el préstamo para liberar su capital.

Estas dos opciones a menudo se guardan como un último recurso. Pueden aportar un poco más de dinero que solo vender la propiedad directamente, pero su capital estará atado durante unos años como mínimo y no podrá invertir en otras propiedades mientras el dinero esté ocupado. La mayoría de los inversores prefieren no optar por esta opción porque agrega otra capa de papeleo y significa que es posible que tengan que perder algunas oportunidades potenciales en el proceso.

Vender su casa es muy importante. Si su propiedad permanece en el mercado por mucho tiempo sin que alguien le ofrezca una oferta, no podrá ganar dinero y parte de su propio dinero se perderá en servicios públicos, intereses, impuestos y otras cosas cada mes que la casa se sienta en el mercado. Trate de obtener la propiedad en la lista antes de que haya terminado con todas las reparaciones. Los cierres pueden tardar unos meses en la mayoría de los casos. Si espera hasta que la propiedad esté perfecta antes de encontrar un comprador, eso significa que perderá dinero de sus ganancias.

¿Quiero alquilar mi propiedad?

Si bien esta guía trata sobre la compra de una propiedad para voltear, puede haber ocasiones en las que desee considerar alquilar la casa. Para esta idea, es posible que haya comprado una propiedad porque el mercado se veía bien y estaba entusiasmado por lo bien que aumentaba la apreciación en esa área. Tal vez hubo noticias sobre una nueva compañía que se mudó al área y ofreció muchos empleos. Entonces, encontró una propiedad a un buen precio y la preparó para venderla unos seis meses después.

Pero cuando fue a vender la propiedad, o durante el tiempo que estuvo trabajando en la propiedad, el mercado bajó. Si bien la mayoría de los mercados se mantienen estables durante algunos años o más, hay ocasiones en que el mercado puede cambiar en seis meses. Tal vez esa nueva compañía en realidad no se mudó a la ciudad, por lo que el mercado de la vivienda nunca subió. Tal vez el gobierno hizo un anuncio sorpresa de que estaban elevando las tasas de interés o imponiendo normas más estrictas a los préstamos hipotecarios, por lo que ahora hay menos compradores en el mercado.

Por la razón que sea, el mercado en el que ingresó a la propiedad se ha ido. Puede encontrar que hay muy pocos compradores en el mercado, o que el precio por el que quiere vender la casa ya no es viable. En lugar de quedarse atascado con la propiedad o perder dinero cuando intenta venderla, considere convertirla en una propiedad de alquiler.

Hacer esto puede ayudarlo a recuperar algunos de los gastos e incluso obtener un ingreso. Puede cobrar una tarifa de alquiler de mercado que ayudará a cubrir su hipoteca y pagará un poco más a la vez. También puede bajar la tasa de la hipoteca un poco más, lo que le permite acumular más capital en el proceso o ayudarlo a obtener más beneficios cuando decida vender la propiedad.

Después de un año o dos, el mercado en su área puede estar listo para dar un giro nuevamente. Cuando esto sucede, todavía puede vender la propiedad. Y cuando el mercado se recupere, puede obtener una ganancia, en lugar de una pérdida como antes. Como ya estaba pagando la hipoteca con el dinero de la renta de su inquilino, podrá ganar más en la propiedad que antes.

Esta es una opción para considerar en cualquier momento en que encuentre que los cambios en el mercado cuando está arreglando la propiedad. En la mayoría de los casos, no es algo de lo que deba preocuparse, ya que planea vender la propiedad rápidamente después de comprarla. Pero es algo para recordar en caso de que ocurra lo peor y puede reducir enormemente el riesgo que asume con la propiedad.

Capítulo 11: Desafíos que Vienen con su Primera Propiedad Revendida y Mucho Más

Después de que haya podido vender su propiedad, puede pasar al siguiente paso; disfrutando de sus ganancias y buscando el próximo negocio inmobiliario que desee realizar. Puede continuar con este proceso durante el tiempo que desee, aumentar sus ganancias y mejorar cada vez que pase por este proceso. Puede ser una inversión muy gratificante que puede seguir efectuando de un año a otro.

La reventa de propiedades puede ser un negocio rentable para aquellos que invierten en las propiedades correctas, seguir un presupuesto y trabajar duro. Pero no importa quién se involucre en este tipo de inversión, habrá algunos desafíos que pueden hacer que la reventa de propiedades sea estresante e incluso arriesgada. Saber qué desafíos pueden surgir cuando se está invirtiendo en bienes raíces puede hacer que sea más fácil entender más acerca de lo que le puede esperar. Algunos de los desafíos que puede enfrentar cuando ingresa a inversiones en bienes raíces incluyen:

Su ARV siempre está cambiando

Uno de los mayores desafíos que puede enfrentar cuando comienza a invertir propiedades es que el ARV siempre está cambiando. Los revendedores que piensan que pueden vender la propiedad por lo que quieran y que sumar unos pocos miles a su precio de venta serán una gran sorpresa. El mercado no es tan crédulo. Saben cuál es el precio justo de mercado para una propiedad. Asegúrese de obtener un ARV que sea confiable y luego apéguese a eso, sin importar lo que pase durante su lanzamiento.

Las implicaciones fiscales

Debido a que planea vender esa propiedad de reventa dentro de su primer año de propietario, no tendrá que lidiar con algunos impuestos, como el impuesto sobre las ganancias de capital. Pero cualquiera de las ganancias que obtenga en la venta será gravada como si fuera su ingreso ordinario. A menos que trabaje con un buen asesor fiscal o con un asesor fiscal que pueda ayudarlo a establecerse con la corporación adecuada, tendrá que declarar esa ganancia como un ingreso por cuenta propia, que puede costarle más a largo plazo.

Hay varias opciones en las empresas que puede considerar usar según las protecciones que desea y cuánto planea hacer con su inversión. Sin embargo, cuando se trata de esto, la corporación S es mejor que algunas de las otras. Estas corporaciones le brindarán más protecciones legales y ventajas fiscales que otras opciones.

Además, recuerde que deberá pagar impuestos sobre cualquier ingreso que obtenga durante su inversión en bienes raíces. Se recomienda que reserve un 25 por ciento de sus ganancias para pagar sus impuestos. También debe considerar trabajar con un CPA u otro contador durante este tiempo. Pueden explicarle algunas de las diferentes reglas impositivas que se aplicarán a usted y pueden ayudarlo a obtener la mayor cantidad de descuentos posible durante el período impositivo.

Un largo período de espera

Cuanto más tiempo retenga la propiedad que compró, más le costará y menos será la ganancia que pueda ganar. Los revendedores que parecen tomarse su tiempo y arrastrar sus pies, ya sea a propósito o porque surgen otras obligaciones, van a ver un aumento en sus costos de mantenimiento, algo que disminuye los beneficios que esperan obtener.

Además, incluso si realizó las reparaciones rápidamente e hizo todo lo posible para brindarle al comprador lo que deseaba, si enlista la propiedad en venta en un momento en que no hay tantos compradores en el mercado, es posible que tenga que mantener la propiedad por más tiempo y pagar más en costos de tenencia también.

Es importante que seas consciente y cuidadoso de todo esto. Si tiene la propiedad, muévase rápidamente para poder enlistarla en el mercado y venderla cuando hay muchos compradores que buscan una propiedad. Si puede, intente cronometrar la construcción de la propiedad durante los períodos más lentos de noviembre a febrero, ya que de todos modos no habrá tantos compradores en el mercado en ese momento. Luego, cuando llegue la primavera y haya más compradores listos para mirar alrededor, enliste la casa como lista para vender.

Falta de experiencia

Si compra una propiedad y luego hace reparaciones y renovaciones de mala calidad, puede terminar reduciendo el valor de su casa porque los compradores verán esa mala calidad como su responsabilidad, en lugar de la mejora que pretendía. Si bien la contratación de un contratista costará un poco más y reducirá un poco sus ganancias, es mucho mejor hacerlo cuando sea necesario. Pueden realizar trabajos de alta calidad que garantizarán que obtenga el precio que desea. Puede ser difícil pagar un extra en el momento en que el dinero ya está fluyendo, pero es dinero que se gasta bien cuando se trata de los resultados finales.

Si está preocupado por no tener suficiente experiencia con el mercado inmobiliario, entonces es hora de iniciar a aprender al respecto. Puede encontrar un mentor en el campo, alguien que esté dispuesto a responder sus preguntas y guiarlo a través del proceso. También puedes trabajar con una agencia de bienes raíces para aprender sobre la marcha. Aproveche cualquier oportunidad que pueda para aprender sobre la industria y que pueda reducir sus riesgos y hacer un mejor trabajo cuando se trata de revender propiedades.

No todos los cambios de propiedad van a ser rentables

Si bien los pasos anteriores pueden no parecer imposibles o demasiado difíciles, es difícil ganar dinero al cambiar propiedades. Esto se vuelve aún más difícil cuando el precio de la apreciación se ralentiza o incluso se invierte. Como inversor de propiedades, asumirá que los valores de las propiedades en su área aumentarán durante su período de tenencia, lo cual es muy importante porque aumentará las ganancias que puede obtener.

Cuando está trabajando en un mercado fuerte, la falta de acuerdos de ejecución hipotecaria y de casas con descuento realmente puede reducir la oferta y aumentar la competencia entre los revendedores. Si está revendiendo propiedades en mercados con precios más altos, esto puede ser un desafío porque costará mucho obtener esa propiedad en primer lugar.

Los revendedores que deciden realizar esta inversión a tiempo completo pueden ganarse la vida, pero a veces hay problemas con el flujo de efectivo. Cuando la propiedad está en construcción, se trata de un flujo constante de dinero que se va, sin que nada entre. En algunos casos, puede tomar seis meses de facturas de renovación antes de ver algún ingreso. Loa revendedores deben poder permanecer en el mercado y tener un buen plan para ayudar con las reparaciones.

Capítulo 12: Consejos que Ayudarán a Reducir sus Riesgos y le Ayudarán a Obtener el Máximo Beneficio de su Inversión

Una nota final y una cosa a considerar es que si desea asegurarse de maximizar su retorno sobre la propiedad en la invirtió, es posible que desee vivir en la propiedad mientras se realiza la renovación. Si ya estaba viviendo en un apartamento antes, podría mudarse a la casa y evitar ese gasto de vivienda hasta que venda la propiedad. Puede pasar más tiempo trabajando en el proyecto y sus costos de mantenimiento también serán sus gastos de subsistencia, lo que realmente puede ayudarlo a obtener más beneficios al final. Esto funciona mejor para los solteros, pero es algo a tener en cuenta cuando empiezas.

Cuide su tiempo frente al dinero que gana

Su tiempo es muy valioso cuando se trata de inversiones inmobiliarias. Sí, puede obtener ganancias en casi cualquier propiedad en la que decida invertir, siempre y cuando realice su investigación y elija una buena propiedad. Pero si pasa meses con ella y solo obtiene una pequeña ganancia, entonces terminará perdiendo dinero en el proceso.

Veamos un ejemplo de esto. Si le lleva seis meses trabajar en una propiedad con una rehabilitación a tiempo completo, pero solo obtiene una ganancia de $ 5000, no es tan bueno. Esto significa que solo gana alrededor de $ 5.20 por hora, lo que le permitirá obtener mejores ingresos en su trabajo habitual sin todos los riesgos.

Sin embargo, si trabaja 20 horas a la semana durante dos meses y gana $ 5000 en ganancias, gana $ 31.25 por hora, lo cual es mucho mejor. Si puede hacer 20 horas a la semana durante seis meses y obtener una ganancia de $ 20,000, podría ganar $ 41.67 por hora. La cantidad de tiempo puede ser importante en algunos casos, pero también depende del trabajo que se debe realizar y de la cantidad de ganancias que cree que va a obtener de ese trabajo. Si puede ganar un gran beneficio trabajando un poco más, entonces hagalo.

Pero no gaste sus energías en trabajos pequeños que apenas le harán ganar dinero.

Asegúrese de que no se quede sin dinero

Si se queda sin dinero en el proyecto, acabará teniendo que detener el proyecto y perderá más dinero. Esto es algo que les va a pasar a los principiantes. Asumieron que el proyecto solo tomaría uno o dos meses , cuando en realidad, ese tipo de proyecto demora seis meses. Asumieron que las cosas no costarían tanto. No tenían suficiente presupuesto. Decidieron que querían ir con todas las remodelaciones.

Esta es la razón por la que debe asegurarse de completar y crear un presupuesto antes de comenzar, y asegurarse de que todo se tenga en cuenta. Si no está seguro de lo que debe incluirse en este presupuesto, busque a alguien con quien hablar sobre esto, como un agente de bienes raíces u otra persona que trabaje también con la reventa de casas.

Si le preocupa quedarse sin dinero durante este proceso, considere sobreestimar cuánto necesita. Puede agregar de cinco a diez por ciento a la cantidad que planea necesitar para todo el proyecto. De esa manera, si el proyecto demora más de lo esperado, o si tiene que quedarse en la propiedad un poco más porque se demora un poco en venderla, está cubierto y no tendrá que detener todo el proyecto.

Bajo construir en lugar de construir

Cuando entras en una casa nueva , puedes sentirte entusiasmado con todo el potencial que existe. Es posible que desee agregar cosas, eliminarlas y realmente hacer algunos cambios. Es genial que tenga mucha visión con el proyecto pero debe ser un poco cuidadoso. Si pasa demasiado tiempo en la construcción del proyecto, terminará gastando demasiado dinero y no volverá a obtener las ganancias que podría obtener de la propiedad.

Por ejemplo, mientras que un baño y una cocina son importantes para vender la casa, y será casi imposible venderla si no se asegura de que estén lo más actualizados y agradables posible, tiene que mantener los costos bajos. Si bien estas dos áreas de la casa son vitales para la venta de la casa, una remodelación completa de una o ambas rara vez le traerá lo suficiente beneficios para cubrir los costos.

En lugar de hacer la reparación o renovación completa en estas áreas, vea los pequeños cambios que puede hacer para que se vean mejor. Reemplazar unos cuantos electrodomésticos, cambiar el color y cambiar un poco el piso a menudo puede ayudarlo a lograr que esas áreas se arreglen y estén listas para el comprador, sin tener que pagar demasiado de su bolsillo.

Recuerde tener en cuenta los costos de mantenimiento

Los inversores recuerdan especificar el costo de la casa. Recuerdan tener en cuenta cuánto costará pagarle al agente de bienes raíces. Recuerdan tener en cuenta todas las reparaciones y cualquier costo que pongan en publicidad y más. Pero una cosa que siempre parecen olvidar es los costos de mantenimiento. Estos son costos muy reales que pueden afectar sus ganancias, y si no los toma en cuenta, especialmente si retiene la propiedad por muchos meses, no obtendrá ninguna ganancia en absoluto.

Hay varias cosas que se incluirán en los costos de tenencia. Pueden incluir cosas como servicios públicos, intereses en la propiedad, impuestos, cuotas de la asociación de propietarios y más. Estos son los costos que serán necesarios para mantener la propiedad, y pueden sumarse rápidamente cuanto más tiempo sea el propietario de la casa. Cuando tenga en cuenta los costos y cuánto tendrá que gastar en la propiedad, recuerde que debe tener en cuenta estos costos de tenencia para que pueda obtener una cantidad de ganancias precisa.

Elija la propiedad que es la mejor inversión, no la primera propiedad que ve

Como inversionista, debe proteger sus ingresos lo mejor que sea posible. Esto significa que debe saber cuándo una propiedad es en realidad una buena inversión y le traerá un ingreso, y cuándo una propiedad solo le costará dinero y no le reportará ningún beneficio. Como principiante, esto puede ser difícil de entender, por eso es tan importante tomar las cosas lentamente y hacer su investigación antes de comprar cualquier cosa.

Veamos un ejemplo aquí. Si encuentra una casa que parece un reparador superior , tendrá que echar un vistazo al precio y al valor de mercado. Usted encuentra que el precio de venta es $ 80,000 y el valor de mercado para otras casas similares parece ser alrededor de $ 135,000. Esto puede parecer una gran oferta porque tiene el potencial de obtener $ 55,000 en ganancias si todo va bien.

Después de comprar la casa, descubre que hay mucho trabajo por hacer. Necesita reemplazar la base, tiene un problema de moho, se debe reemplazar el horno, hay radón en el sótano y el techo necesita tejas nuevas. En total, terminas gastando $ 40,000 en estas reparaciones. Eso no es tan importante, todavía tienes algunos beneficios.

Pero luego vas al mercado y descubres que el precio de mercado de la casa es de $ 130,000.Luego usaste un agente de bienes raíces y necesitas pagar su comisión. Aumente a eso sus costos de mantenimiento y más, y ahora termina con $ 145,000 gastados en una casa en la que solo puede ganar $ 130,000.Este es un gran ejemplo de cómo el hecho de que una casa aparezca en la lista a un precio que se vea bien no significa que sea la opción correcta para que usted elija.

No intente correr más riesgos de los que puede soportar

Cada propiedad que mire tendrá diferentes niveles de riesgo. Algunas propiedades simplemente necesitan un poco de pintura y algunos electrodomésticos nuevos, y usted está listo para revender la casa. Tal vez una pareja mayor que había vivido allí durante cincuenta años se transfirieron finalmente a Florida para disfrutar de su jubilación, y lo que quieren es quitar la propiedad de sus manos lo más rápido posible. Podría obtener un gran precio (la pareja pagó la casa hace años y está feliz de embolsarse las ganancias) sin tener que hacer un montón de trabajo si la pareja ha mantenido adecuadamente la casa.

Pero muchas veces, la propiedad puede ir por el otro lado. Por lo general, hay una buena razón por la que se ofrece una propiedad por un precio tan bueno, y esa razón es que la propiedad necesita mucho trabajo por hacer.

Para ganar dinero con la inversión en bienes raíces, tendrá que dedicar algo de tiempo y sudar. O vas a tener que pagarle a alguien más para que lo haga por ti. Pero la cantidad de tiempo y sudor e incluso el dinero que invierta en el proyecto dependerá de la cantidad de riesgo que esté dispuesto a asumir.

Probablemente tendrá una tolerancia al riesgo diferente a la de otra persona. Es posible que vea una parte superior por reparar que está en mal estado y que le emocione ver cuánto puede obtener por la casa, cuánto trabajo puede tiene por hacer y más cosas. Le gusta el reto. Pero para los principiantes, esto puede ser demasiado, y puede ser mejor comenzar con algo que no conlleve tanto riesgo, ni tanto trabajo, al menos para las primeras propiedades.

Desarrolle su propio sistema

Esta guía tomó mucho tiempo para explorar algunos de los pasos que debe seguir para poder realizar la reventa de propiedades. Observamos cómo puede buscar casas, cómo realizar una compra, cómo realizar las reparaciones, cómo vender la casa y mucho más. Estos son algunos pasos simples con los que realmente verá el éxito, pero aún así es importante que se tome el tiempo y proponga una estrategia o un proceso que funcione mejor para usted.

Antes de comenzar con cualquier inversión en bienes raíces, tómese el tiempo para escribir su proceso paso a paso. Use los mismos proveedores, los mismos materiales y los mismos colores de pintura cuando pueda. Incluso intente mantenerse con la misma línea de tiempo en cada proyecto si puede. No solo hará que el proceso sea mucho más fácil , sino que también puede reducir su estrés y le ayuda a calcular los gastos y las ganancias en cada vuelta que hace.

Sea paciente

Los profesionales se van a tomar su tiempo. Saben que hay mucho dinero en juego; dinero potencial que podría ingresar si eligen la propiedad correcta y obtienen una ganancia, pero también dinero potencial perdido si eligen mal. Los profesionales no van a saltar a la primera propiedad que ven.

Los novatos a menudo compran el primer reparador superior que encuentran y luego contratan a un contratista barato para que haga el trabajo. Pero esto puede ser contraproducente. La propiedad puede estar en una mala ubicación, el contratista nunca puede presentarse o hacer un mal trabajo. El novato puede aferrarse a la propiedad durante mucho tiempo antes de poder venderla. Y debido a que el trabajo en ella se hizo tan mal, nadie está dispuesto a pagar el precio inicial y el novato se va con poco o ningún beneficio. Y en algunos casos, tienen que asumir una gran pérdida en su trabajo.

Como profesional, no quieres que esto suceda. Quieres tomar tu tiempo para encontrar la propiedad perfecta, la que te ayudará a obtener grandes ganancias con el menor trabajo posible. Puede ser frustrante, pero a veces esto toma un poco de tiempo para lograrlo. Sigue investigando y vigila el mercado. La propiedad correcta se mostrará a tiempo, y te alegrarás de haberla esperado.

Trate de vender la casa por su cuenta

Esto realmente puede ayudar a eliminar algunas de las comisiones que tiene que pagar. Los agentes de bienes raíces pueden ser agradables para facilitar el trabajo y ahorrarle tiempo, pero sus comisiones pueden ser grandes y realmente consumirán sus ganancias. Si usted tiene una propiedad y tiene que manejar los costos y las reparaciones, y luego tiene que agregar otros $ 10,000 o más para pagar al agente de bienes raíces, es cada vez más difícil encontrar una buena propiedad que realmente le haga ganar dinero.

Si bien algunos inversionistas elegirán trabajar con un agente, y usted podría considerar esto también durante sus primeras pocas propiedades, si desea ahorrar en comisiones y también abrir más propiedades en las que puede invertir, entonces debe intentar vender la casa por su cuenta. Esto es algo que muchos vendedores han hecho en el pasado, incluso las personas que buscan vender sus propias casas antes de mudarse.

Sin embargo, tiene que tener un poco de paciencia para hacer esto. Debe publicitar la casa lo antes posible, preferiblemente antes de que haya terminado con las renovaciones. Necesita estar allí para mostrar la casa y hacer casas abiertas. Y tiene que estar listo para negociar el precio con cualquier comprador potencial. Pero si puede hacer un poco de trabajo con este, y le da a su casa un precio competitivo, puede hacer este trabajo por su cuenta y ahorrar un poco de dinero.

Haga que sus estimaciones para reparaciones sean más altas de lo que piensa

Las reparaciones en un cambio de propiedad nunca salen como usted planea. Incluso si obtiene una estimación por escrito del proyecto, es posible que surjan algunos gastos adicionales mientras se realizan las renovaciones. Y algunos de estos deben ser arreglados porque son sustanciales y afectarán la forma en que el comprador percibe su casa y si comprarán la propiedad o no.

Cuando esté calculando todos sus números para ver si la propiedad es buena para invertir, asegúrese de calcular un poco más altos los costos de las reparaciones. Por lo tanto, si obtiene una oferta por todo el trabajo en la propiedad, agregue un cinco por ciento. En algunos casos, las renovaciones tendrán un costo, y usted simplemente toma ese cinco por ciento y lo agrega a sus ganancias. Pero para aquellos momentos en que todo no va como lo planeaste, al menos tienes un cojín para que te cuide, en lugar de luchar para encontrar ese dinero extra.

Trabajar en inversiones en bienes raíces es una excelente manera de ayudarlo a generar ingresos con su propio dinero. Hay algunos riesgos que aparecen cuando se ingresa en este tipo de inversión, y las pérdidas potenciales pueden ser grandes, por lo que no ve a nadie aprovechando esta oportunidad. Pero si sigue los pasos que se encuentran en esta guía, y tiene cuidado de reducir sus riesgos tanto como sea posible, obtendrá resultados sorprendentes y obtendrá una retorno de su inversión en poco tiempo.

Capítulo 13: Una Resumen de la Reventa de Propiedades y Cómo Comenzar

El objetivo de esta guía es ayudarlo a comprender mejor algunos de los conceptos básicos y algunos de los entresijos de la inversión de propiedades y la inversión en bienes raíces .Si está buscando una manera de trabajar para usted mismo y no le importa un poco de riesgo y un poco de trabajo con sus manos, este tipo de inversión puede ser una línea de trabajo muy gratificante y rentable.

Ahora que hemos pasado un tiempo hablando sobre cómo ingresar al mercado de bienes raíces y cómo elegir la propiedad correcta, dividámosla en algunos pasos fáciles de administrar que puede seguir más adelante. Puede terminar ajustando estos pasos un poco una vez que comience y tenga su propio método. Pero como principiante, use esto como un tipo de lista de verificación para ayudarlo a seguir adelante. Estos son algunos de los pasos que puede seguir cuando recién comienza:

1. Calcule su financiación para que pueda estar preparado

   a. Guardar para el pago inicial. Investigue algunas de sus opciones y calcule cuánto necesitará ahorrar.

   b. Obtenga su pre-aprobación. Esto facilitará que su oferta sea aceptada y pueda hacer que el proceso avance más rápido.

   c. Averigüe cómo va a pagar las reparaciones. Algunos préstamos cubrirán esto por usted, pero asegúrese de saber cómo lo hará.

2. Asociarse con un buen agente de bienes raíces. Esta persona puede ser invaluable para usted. Le brindan información sobre el mercado, pueden ayudarlo a determinar el promedio de casas en su rango e

incluso pueden ayudarlo a encontrar las propiedades correctas cuando es un comprador.

3. Encuentre un contratista. Le ayudarán a realizar el trabajo rápidamente y se asegurarán de que sea de alta calidad.

4. Encuentre 20 casas. No puede usarlas todos (y en la mayoría de los casos, solo usará uno o dos a lo mucho), pero al menos le permite saber qué hay ahí fuera. Algunos de los lugares donde puede buscar estas casas incluyen:

   a. MLS

   b. Aviso de impagos

   c. Propiedades no listadas que se agotan.

   d. FSBOs

5. Analizar todas las propiedades. Esto le ayudará a saber qué propiedades realmente le ayudarán a obtener ganancias.

a. Analizar la propiedad

b. Estudiar el mercado

c. Determinar los deseos y necesidades del comprador. Luego, vea si la propiedad tiene estas cosas, o al menos tiene la capacidad de convertirse en lo que el comprador quiere y necesita.

6. Haz una oferta sobre las mejores opciones. Probablemente querrá ofrecer menos de lo que pide el vendedor para que obtenga los mejores resultados y tenga algo de espacio para negociar. Recuerde que es importante ver cómo se siente el vendedor en ese momento, y si acaba de enumerar la propiedad o si realmente necesita venderla.Esto hará una diferencia en cuanto a lo que usted ofrece.

7. Una vez finalizado el cierre. Empieza a ir a trabajar con las reparaciones. Considere listar la propiedad

antes de que terminen para que los compradores entren.

    a. Mantenerse dentro del presupuesto

    b. Cuide sus costos vs. ARV

    c. Realice el trabajo de la mejor calidad posible para impresionar a los compradores.

8. Mientras llega a las etapas finales de la construcción, comience a comercializar la propiedad. Esto acorta la cantidad de tiempo que tiene la propiedad y puede ayudarlo a aumentar sus ganancias.

9. Vender la propiedad

10. Repita estos pasos para ayudarlo a continuar con su nueva inversión.

Recuerde que cuando ingresa a una inversión en bienes raíces, todo comienza con una buena propiedad. Si puede hacerlo bien con su primera propiedad, rehabilitarla y venderla, puede usar las ganancias de esa propiedad y transferirlas a la próxima inversión. Esto puede significar que no va a hacer un montón de dinero para usarlo como quiera por un tiempo, pero ayuda a que su negocio crezca. Su sistema mejorará, su retorno de la inversión aumentará y encontrará que la inversión en bienes raíces es una excelente opción.

Entonces, si hace algo, tómase su tiempo con esa primera propiedad. Hará toda la diferencia en cómo puede funcionar todo este negocio. Si puede hacer un buen trabajo en la primera, puede continuar con esta tendencia y hacer que su negocio crezca.

Conclusión

Gracias por llegar hasta el final de Inversion Inmobiliaria: House Flipping para Obtener Beneficios. Esperemos que haya sido informativo y haya podido proporcionarle todas las herramientas que necesita para lograr sus objetivos, sean cuales sean.

El siguiente paso es seguir estos pasos e ingresar al mercado inmobiliario por sí mismo. Lo que la mayoría de la gente no se da cuenta es que la inversión en bienes raíces puede tomar mucho tiempo, investigación y dinero antes de que usted obtenga alguna de las ganancias. No es tan lucrativo como algunos pueden pensar, especialmente si no tiene cuidado y simplemente elige la primera propiedad que encuentra. Pero si está dispuesto a trabajar arduamente y esperar a la propiedad adecuada, verá que las inversiones en bienes raíces pueden generarle más dinero del que jamás soñó. Y esta guía se asegurará de que está estableciendo el camino correcto para que eso suceda.